L'autoformation à la gestion

Série Formation à la gestion, n° 21

L'autoformation à la gestion

Guide à l'usage des gestionnaires,
des entreprises et des organisations,
des institutions de gestion

Tom Boydell

Ouvrage élaboré avec le concours financier
du Programme interrégional du PNUD

Traduction réalisée pour le Réseau international pour la formation au management
(INTERMAN) avec l'appui de l'Agence
canadienne de céveloppement international
(Programme de promotion de la gestion)

Bureau international du Travail   Genève

ISBN 92-2-203958-0
ISSN 1010-8114

Première édition 1990

Original anglais publié sous le titre:
Management self-development. A guide for managers, organisations and institutions
(ISBN 92-2-103958-7), Genève, 1985

Imprimé par le Bureau international du Travail, Genève, Suisse

Cet ouvrage a été élaboré dans le cadre du projet international «Coopération entre institutions de formation à la gestion», exécuté par le Bureau international du Travail avec l'appui du Programme des Nations Unies pour le développement. Ce projet a donné naissance au réseau international pour la formation au management (INTERMAN). L'un des objectifs principaux d'INTERMAN est de faire connaître aux institutions de gestion les nouvelles méthodes de formation à la gestion aujourd'hui utilisées et de les faire bénéficier de l'expérience acquise.

L'auteur de l'ouvrage, Tom Boydell, a été l'un des pionniers de l'autoformation au Royaume-Uni, son pays, ainsi que dans les pays en développement. Beaucoup de gens l'ont aidé de multiples façons. Il convient de mentionner en particulier Malcolm Leary, qui a été son conseiller direct pour certaines parties du livre, et l'épouse de Tom Boydell, Gloria, à laquelle le livre doit nombre de vues pénétrantes et d'idées.

La traduction française a été réalisée à l'initiative d'INTERMAN avec l'appui de l'Agence canadienne de développement international (Programme de promotion de la gestion). Nous sommes particulièrement reconnaissants à l'ACDI d'avoir ainsi permis de mettre cet ouvrage de référence à la disposition d'un large public d'expression française.

Service de la formation à la gestion
du Bureau international du Travail,
juin 1989.

TABLE DES MATIÈRES

INTRODUCTION

Pourquoi ce livre a-t-il été écrit? Ou, pour nous mettre à la place du lecteur, quel profit celui-ci compte-t-il en tirer?

A chaque instant, dans le monde entier, des millions de gestionnaires suivent un programme de formation ou de perfectionnement. Pour tirer le maximum de ces programmes, les organisations qui emploient des gestionnaires ou les institutions dont des gestionnaires suivent les cours et participent à des séminaires sont à la recherche de meilleures méthodes de formation. On s'efforce beaucoup de faire plus, et mieux, que de donner des conférences sur la gestion. La méthode des cas particuliers a introduit l'expérience de la vie dans les classes. L'ordinateur a immédiatement éclairé des décisions prises au cours de jeux de gestion. Diverses méthodes de développement des organisations ont montré qu'il vaut mieux avoir affaire à des équipes qu'à des individus isolés et que l'on apprend mieux en participant à la solution de problèmes importants pour l'organisation.

Et cependant, nombre de méthodes actuelles de formation à la gestion et de faits survenus dans ce domaine ne donnent pas ce qu'on en attendait car ils souffrent tous du même défaut. Ils considèrent et traitent les gestionnaires comme des objets plutôt que comme les sujets mêmes de la formation. Ne faisant aucun cas des expériences faites dans l'éducation des adultes et des théories en la matière, nombre d'organisations emploient toutes sortes de procédés pour former leurs gestionnaires mais négligent de créer les conditions dans lesquelles ces gestionnaires éprouvent le désir de se former eux-mêmes. Souvent un directeur de la formation se charge de former les gestionnaires, alors que chacun de ceux-ci se préoccupe de prendre en charge sa propre formation. Les résultats sont la plupart du temps décevants. Il se peut que les gestionnaires suivent volontiers leurs cours mais, devant des situations concrètes, ils ne font guère usage de ce qu'ils ont appris. Beaucoup de talents et de potentialités ne sont jamais découverts. Le coût de la formation augmente beaucoup plus rapidement que les résultats qu'elle donne.

Mais il y a encore beaucoup d'autres problèmes. A cause de leur coût, les cours de formation ne sont souvent accessibles qu'aux grandes organisations qui sont riches. Les possibilités d'être formés sont très restreintes pour les gestionnaires qui habitent et travaillent loin des établissements de formation.

Certains membres du personnel doivent peut-être attendre des années avant qu'on leur offre une place dans un cours de formation sur le tas, etc.

Le présent ouvrage a été écrit pour trois raisons principales. Tout d'abord pour aider les gestionnaires à se charger eux-mêmes de leur formation. Ensuite, pour aider directement ceux qui sont désireux de se former et cherchent par conséquent de nouvelles techniques et de nouveaux moyens pour le faire. Troisièmement, pour orienter un peu les organisations et les institutions soucieuses de faciliter, d'encourager et d'aider les gestionnaires à se former eux-mêmes.

A qui ce livre est-il destiné?

L'ouvrage s'adresse en conséquence aux catégories de lecteurs suivantes.

Les gestionnaires et autres personnes tenant à se former eux-mêmes trouveront nombre de directives, exercices et activités auxquels ils pourront recourir pour cela. Les exercices sont conçus de façon à vous aider, lecteur, à définir vos besoins en matière de formation, à en parler avec votre organisation et, ensuite, à mettre en valeur les divers talents, aptitudes et qualités requis d'un gestionnaire efficace. Par exemple, on mentionnera, parmi les avantages que des gestionnaires expérimentés ont retirés de divers exercices de formation:

o   l'acquisition de nouvelles spécialités;

o   une meilleure performance;

o   des capacités portées au maximum;

o   de l'avancement dans la carrière;

o   le sentiment d'être content de soi;

o   la capacité de rendre des services dont la qualité est reconnue.

L'ouvrage contient aussi un nombre considérable de directives pratiques pour introduire l'autoformation au sein d'une organisation. De sorte que si vous vous intéressez particulièrement à améliorer la gestion et à créer des gestionnaires dans votre organisation ou si vous en êtes particulièrement chargé, vous trouverez dans ce livre beaucoup de choses qui vous aideront à établir un plan qui non seulement concernera les besoins de vos gestionnaires, mais aidera aussi à dégager les processus et les rapports dont votre organisation a besoin pour se développer. Ces questions relèvent dans une très grande mesure du domaine de ce qu'on appelle la «culture organisationnelle». Nul n'ignore qu'il y a des organisations qui tiennent beaucoup à apprendre et à progresser d'une manière ou d'une autre. Dans d'autres organisations, le climat et l'échelle des valeurs paralysent tout effort d'autoformation et toute initiative. A quel groupe votre organisation appartient-elle actuellement et auquel voulez-vous appartenir à l'avenir?

Ici encore, nous pouvons indiquer quelques exemples des effets de l'autoformation des gestionnaires sur les organisations:

o   efficacité accrue;

o   remplacement successif des cadres bien planifié;

o   mobilité du personnel;

o   capacité d'attirer et de conserver des gestionnaires de grande valeur;

o   capacité de réagir rapidement aux circonstances nouvelles et à saisir de nouvelles occasions.

Si vous travaillez dans une institution de formation à la gestion (centre de formation, école de cadres, etc.), vous trouverez un chapitre sur les moyens par lesquels vous pouvez aider cette institution à contribuer à entreprendre et à promouvoir l'autoformation des gestionnaires. A première vue, vous verrez peut-être là un conflit: si les gestionnaires se forment eux-mêmes par des programmes d'autoformation, n'est-il pas normal que les cours de formation seront moins recherchés? Et, par suite, vos services aussi? Pour éviter ce malentendu, notre ouvrage explique comment l'autoformation peut être intégrée à divers programmes exécutés par les institutions de formation à la gestion et être utilisée pour mieux assurer le succès de la formation générale à la gestion.

Bien entendu, le personnel des institutions de formation à la gestion doit bien connaître tout l'éventail des méthodes d'autoformation décrites dans le présent ouvrage ainsi que les problèmes qui se posent aux organisations soucieuses de soutenir et d'aider leur personnel dans son autoformation. En outre, si vous êtes un enseignant, un formateur ou un consultant en matière de gestion, vous trouverez peut-être intéressant d'essayer vous-même quelque nouvelle méthode d'autoformation!

De ce fait, on peut s'attendre à ce qu'une institution qui décide de jouer un plus grand rôle dans la promotion de l'autoformation:

o   travaille à accroître sa réputation nationale et internationale;

o   soit consultée à propos d'importants programmes nationaux et internationaux de développement des ressources humaines et participe à ces programmes;

o   attire et conserve du personnel de grande valeur;

o   attire des participants de grande valeur et motivés;

o   se voit offrir et obtienne d'importants appuis financiers pour ses activités;

o   devienne un «centre d'excellence» fort respecté pour ses innovations en matière d'enseignement et de formation.

Comment utiliser l'ouvrage

Deux points importants concernent tous les lecteurs de ce livre.

Premièrement, vous pourrez *apprendre ce qu'est l'autoformation* et en découvrir les diverses méthodes ainsi que d'autres possibilités plus ou moins intéressantes et utiles. Mais, si vous tenez vraiment à vous former vous-même ou acquérir une vue approfondie d'une méthode donnée pour pouvoir la recommander à d'autres personnes et les aider à l'utiliser, vous devez *faire l'expérience de l'autoformation*. C'est pourquoi, si vous prenez les choses au sérieux, essayez de faire les exercices décrits dans le livre!

Deuxièmement, vous découvrirez peut-être que non seulement le milieu qu'est l'organisation où vous travaillez mais aussi la culture nationale influent sur l'autoformation. Par exemple, son échelle des valeurs peut encourager ou décourager l'initiative individuelle, le dynamisme, l'essai de nouvelles méthodes et l'esprit d'entreprise. Ou bien il se peut qu'une certaine méthode d'autoformation soit considérée comme étrange ou inacceptable dans un milieu culturel donné.

Il vous faut décider de ce qui a des chances de convenir, et donc mérite d'être essayé. Après tout, c'est de votre autoformation qu'il s'agit. Mais vous devez lire le livre l'esprit ouvert – et en éveil. Essayez d'examiner objectivement les diverses idées et méthodes. Demandez-vous:

o   L'idée convient-elle ici?

o   Quels facteurs locaux favorise-t-elle?

o   A quels facteurs locaux est-elle contraire?

o   En suis-je bien sûr?

Si, après y avoir soigneusement réfléchi, vous décidez qu'il y a incontestablement conflit entre les facteurs locaux et une idée donnée, d'autres solutions s'offrent (figure 1).

Il vous est bien entendu possible de rejeter purement et simplement l'idée ou la méthode. Dans un certain sens, cela est tout à fait raisonnable – mais cela ne mène pas à la formation.

Mieux vaut réfléchir très soigneusement, examiner la question qui se pose et modifier la première idée ou méthode de façon à la rendre acceptable et praticable dans votre cadre culturel. C'est loin d'être facile, mais cela contribuera beaucoup à la formation, la vôtre et celle d'autres personnes qui pourraient avoir connaissance des modifications que vous aurez apportées.

Une troisième solution consisterait à prendre un risque et à faire l'expérience de l'idée nouvelle, plus ou moins modifiée, même si vous estimez que ce sera difficile dans votre milieu. A condition que vous le fassiez très consciencieusement – il convient de réfléchir d'avance à toutes les

Figure 1. Quelques façons de procéder devant des idées nouvelles qui heurtent la culture locale

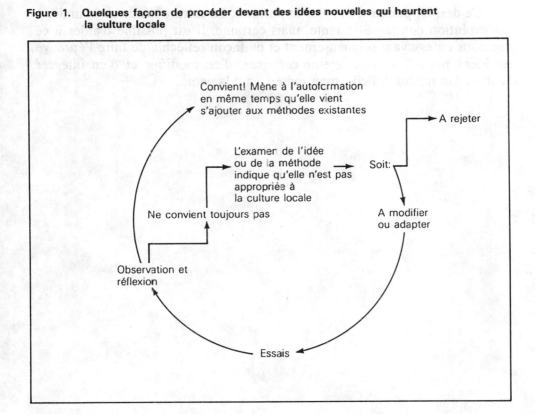

questions –, le risque mérite peut-être d'être couru. Des choses étonnantes peuvent se produire et vous apprendrez peut-être beaucoup.

Nous ne suggérons pas, il faut le souligner, une expérience irréfléchie faite selon des méthodes par trop inappropriées. Non, et c'est pour cela qu'il faut commencer par procéder à un examen très soigneux. Si vous vous efforcez de bien voir ce qui se produit lorsque vous faites vos expériences, cela vous aidera aussi beaucoup. Pour cela, certaines des méthodes dont il est question dans ce livre et qui indiquent les façons d'observer, de réfléchir et d'analyser le résultat de vos expériences vous seront particulièrement utiles.

Ces deux dernières voies, nous l'espérons, vous conduiront à de nouvelles réalités. En faisant l'essai d'idées nouvelles, en les modifiant pour les adapter aux conditions locales, en les essayant une nouvelle fois, et ainsi de suite, vous rendrez sans aucun doute votre formation plus assurée. Vous vous engagerez aussi dans un processus qui sera utile à vos collègues en mettant au point, pour l'autoformation des gestionnaires, un ensemble de principes et de pratiques valables pour votre pays – et qui finiront par faire partie de votre culture.

Ce dernier point est des plus importants. La culture locale est soumise à une évolution constante – lente, mais certaine. Il est possible d'aider à ce processus en essayant soigneusement et de façon réfléchie de faire l'épreuve des idées nouvelles, d'en rejeter certaines, d'en modifier et d'en intégrer d'autres. Un travail difficile, mais qui en vaut la peine.

L'AUTOFORMATION: QU'EST-CE, ET POURQUOI?

1

1.1   Pourquoi lire ce livre?

Vous avez peut-être vu de la publicité annonçant des cours, des livres ou des produits apparemment magiques qui vous garantissent plus ou moins le succès, la renommée, la richesse.

Nous n'avons pas cette prétention. Aucun livre ne peut promettre que vous vous formerez vous-même avec succès et sans effort. Ce que nous pouvons dire, cependant, c'est que les méthodes et les approches décrites ici sont utilisées par un nombre croissant de gestionnaires dans le monde entier. La raison en est qu'elles se sont révélées concerner directement les capacités, les qualités et les caractéristiques qui sont la marque de gestionnaires compétents.

Peut-être devriez-vous vous poser la question: «Pourquoi l'autoformation m'intéresse-t-elle?» Vous pourriez peut-être répondre:

o   pour obtenir de l'avancement;

o   pour mieux faire mon travail actuel;

o   pour avoir plus de satisfaction au travail.

Encore une fois, il serait malhonnête de vous garantir que vous atteindrez l'un ou l'autre de ces buts. Mais il est hors de doute que les qualités qu'on peut acquérir en utilisant le présent ouvrage vous y aideront. Nous disons «qu'on peut acquérir» parce que, encore une fois, les résultats ne sont pas automatiques.

> L'AUTOFORMATION DEMANDE BEAUCOUP DE TRAVAIL
> ET, PAR DÉFINITION, ELLE EST VOTRE AFFAIRE!

Nous entrerons plus loin dans les détails. Il est peut-être bon de remarquer, auparavant, que certaines des approches et méthodes pourront vous paraître un peu étranges. Mais l'autoformation exige, par-dessus tout, de l'ouverture d'esprit. Ces méthodes, y compris celles qui sont «étranges», donnent des résultats pour beaucoup de gestionnaires dans de nombreux pays. De sorte que si vous essayez de considérer votre formation de façon plus systématique, prenez courage, lisez le livre, et surtout faites l'essai des activités qui y sont mentionnées.

1.2   Qu'est-ce que l'autoformation?

Il est difficile de donner une définition brève et concise de l'autoformation. Il sera peut-être plus utile d'examiner quelques-unes de ses caractéristiques.

L'une d'elles est qu'elle demande à l'individu de penser par lui-même ou par elle-même. Nous pouvons appliquer ce principe ici en vous demandant, à vous lecteur ou lectrice, de faire appel à votre expérience et de mettre en œuvre vos propres idées.

Nous vous y aiderons en vous proposant une structure pour y procéder. On en vient ainsi à un autre principe de l'autoformation, à savoir qu'on peut parfois mieux faire les choses par soi-même si quelqu'un d'autre intervient avec des questions, des modes de pensée et des renseignements. Vous avez donc souvent besoin d'autrui pour aider à votre auformation.

Commencez par prendre une feuille de papier et notez six ou sept événements importants qui ont été en rapport avec votre formation au cours de votre vie, c'est-à-dire des faits qui se sont produits, des expériences que vous avez eues et qui, à votre avis, vous ont amené à vous former d'une certaine manière. Ces événements peuvent être empruntés à votre travail, à votre vie privée ou à l'un et l'autre, peuvent avoir été très brefs ou, dans certains cas, peuvent s'être prolongés assez longtemps, par exemple plusieurs mois. Dans la mesure où vous pouvez les considérer comme bien déterminés et distincts, tout va bien.

Quand vous en avez retenu six ou sept, dressez un tableau comme indiqué dans la figure 2.

Dans la première colonne, inscrivez les faits de formation que vous avez retenus.

Dans la deuxième colonne, en face de chaque fait, notez-en les effets, les résultats, la manière dont vous estimez qu'ils ont agi sur votre formation.

Il est un peu difficile d'expliquer ce qui doit figurer dans la troisième colonne. D'une manière très générale, il s'agit des activités ou processus auxquels vous avez participé. Ce peut être des processus intérieurs (réflexion, clarification d'idées confuses), extérieurs (par exemple une conversation avec quelqu'un) ou une combinaison des deux. Il est à peu près certain qu'il y aura plus d'un processus pour chaque fait.

Figure 2. Caractéristiques de quelques événements marquants en rapport avec la formation

(1) Evénements	(2) Résultats	(3) Processus	(4) Sentiments éprouvés
1. 2. 3. etc.			

Il est peut-être plus facile de remplir la quatrième colonne. Pour chaque fait, indiquez ce que vous avez ressenti à l'époque. Là aussi, il est probable que vous aurez plusieurs réactions à noter.

Vous avez maintenant rempli le tableau. Que vous apprend-il?

Les résultats de l'autoformation: formation de la personnalité

Regardez d'abord ce que vous avez écrit dans la colonne «résultats». Il est évidemment impossible de dire d'avance ici ce que vous aurez écrit. Mais il est possible d'énumérer quelques-uns des résultats obtenus par d'autres personnes, recueillis d'un certain nombre d'ateliers d'autoformation. En voici des exemples:

o   acquisition de nouveaux talents;

o   plus grande assurance;

o   je comprends les autres;

o   je comprends comment les autres me voient;

o   indépendance;

o   je commence à créer mes propres valeurs, je pense par moi-même;

o   je me préoccupe des autres (par exemple femme ou mari, enfants).

Certaines de vos remarques dans la colonne 2 pourront bien ressembler un peu à quelques-uns de ces exemples. Il est cependant probable qu'en général vos résultats, comme ces exemples, seront des changements d'ordre qualitatif: nouveaux talents, façons différentes de voir les autres, aptitude à comprendre de nouvelles choses. Il est moins probable qu'ils consisteront en un accroissement de ce que vous possédez déjà, par exemple que vous en saurez davantage sur un sujet qui vous est familier ou que vous vous améliorerez dans une domaine où vous avez déjà du talent. Même si vous avez utilisé les mots «plus grande assurance», il s'agit en réalité d'un changement qualitatif; c'est un sentiment différent plutôt que simplement un degré supérieur d'assurance.

L'autoformation implique ainsi un changement de la personnalité: des talents nouveaux, des vues différentes, des sentiments nouveaux. Vous vous sentirez quelqu'un de meilleur ou un meilleur gestionnaire, mais c'est à ces qualités nouvelles que vous le devrez plutôt qu'à un accroissement des talents et des capacités qui sont déjà les vôtres et qui se seront améliorés et affinés. On pourrait donc dire que ces résultats indiquant un changement dans la personne sont une formation de la personnalité.

La formation du point de vue de la pensée, des sentiments et de la volonté

A ce stade, et avant d'examiner les processus de l'autoformation (c'est-à-dire de la formation par soi-même), il sera utile de considérer une certaine manière de classer ces changements qualitatifs intéressant trois manifestations fondamentales de notre être intérieur: la pensée, les sentiments et la volonté (il sera plusieurs fois question de ces manifestations au cours des chapitres qui suivent).

Les termes s'expliquent d'eux-mêmes. La pensée concerne nos idées, nos convictions, nos concepts, nos théories. Les sentiments sont nos émotions et nos humeurs. Quant à la volonté, elle concerne l'action – ce que nous sommes réellement disposés à faire (ou ne sommes pas disposés à faire, selon le cas).

Nous reviendrons plus loin à ces manifestations intérieures, au chapitre 2. Pour l'instant, elles peuvent être utilisées comme les éléments d'un cadre lorsqu'on examine les changements qualitatifs de la formation. C'est ce qu'on trouve résumé dans le tableau 1, mais quelques mots d'explication ne seront peut-être pas inutiles (on trouvera à l'annexe 3 un questionnaire établi sur la base du tableau 1 et destiné à faciliter le jugement que l'on porte sur soi).

On a retenu quatre aspects de la formation: la santé, les capacités, l'action et le sentiment d'identité.

Commençons par la santé: un esprit sain dans un corps sain. Du présent point de vue, vous avez la santé de l'esprit si vous n'êtes ni dogmatique, trop pénétré de vos propres idées, ni trop confiant dans celles des autres – tout en étant prêt à écouter les autres, à respecter leur point de vue même si vous n'êtes pas d'accord avec eux. Ainsi, la marque d'un esprit sain est la possession d'un système d'idées et de convictions bien formées et cohérentes, qui ne vont pas changer d'un moment à l'autre quand on les considère sans prévention.

Tableau 1.   Résultats qualitatifs de la formation

POINTS ESSENTIELS DE LA FORMATION Aspects du moi	RÉSULTATS DE L'AUTOFORMATION		
	Pensée	Sentiments	Volonté
SANTÉ Un esprit sain dans un corps sain	Attachement, sans dogmatisme et avec un esprit ouvert, à des idées et des convictions bien formées et cohérentes; en même temps, capacité d'accepter des ambiguïtés et des paradoxes. Capacité de traiter des détails et des vues d'ensemble. Normes personnelles Valeurs. Moralité. Convictions philosophiques, religieuses et spirituelles.	Etre conscient de ses sentiments et les reconnaître. Equilibre – intérieur et extérieur. Intégration. Calme intérieur.	Nutrition. Régime alimentaire. Forme physique. Habitudes et style de vie sains.
CAPACITÉS	Aptitudes intellectuelles et conceptuelles, par exemple connaissance du travail, mémoire, logique, créativité, intuition.	Sens des rapports sociaux. Talents artistiques. Dons d'expression.	Habileté technique. Habileté professionnelle. Aptitudes physiques. Dons mécaniques.
ACTION DANS LE MONDE EXTÉRIEUR – OBTENIR DES RÉALISATIONS Motivation et courage	Capacité de faire des choix et des sacrifices; de dire non.	Capacité de supporter, de comprendre et de transformer les échecs, les déconvenues, les déceptions, le malheur et la souffrance.	Capacité d'affronter le monde extérieur, de prendre des initiatives, d'intervenir.
IDENTITÉ «Je suis content d'être moi»	Connaissance, conscience et compréhension de soi.	Acceptation de soi, en dépit des points faibles. Etre heureux de ses points forts.	Se motiver, maîtrise intérieure, un but dans la vie.

L'esprit sain est celui qui sait voir le détail et l'ensemble. Cela signifie que vous êtes capable de considérer les détails sans vous y perdre, de prendre une vue d'ensemble sans refuser ou manquer de voir certains détails.

Il convient aussi de tenir compte de l'effet que vos idées produisent sur autrui, ce qui vous conduira à un ensemble de normes personnelles et de valeurs morales. Ici aussi, donc, nous trouvons les convictions philosophiques, religieuses et spirituelles.

Qu'en est-il de la vie animée par des sentiments «sains»? Une de ses caractéristiques est la conscience que vous avez de vos sentiments et de l'action qu'ils exercent sur vous. Au contraire, il est malsain de réprimer vos sentiments ou de les nier car il en résulte habituellement des problèmes: réactions non maîtrisées (on se fâche, par exemple), aigrissement des rapports avec les tiers, tensions, récriminations nerveuses, nuits sans sommeil et de nombreuses maladies. Cela ne signifie pas qu'il soit sain de vous laisser dominer par vos sentiments, loin de là. Après tout, les sentiments sont-ils à vous ou est-ce vous qui êtes à eux? Non, il faut un équilibre qui vous rende conscient de vos sentiments et vous les fasse admettre sans vous laisser dominer par eux.

La santé des sentiments est aussi en rapport avec un autre aspect de l'équilibre: l'équilibre entre le travail et le jeu, la vie professionnelle et la vie de famille, la pensée et l'action, les intérêts matériels et terrestres et les intérêts spirituels. Dans chacun de ces cas, exagérer dans un sens au détriment de l'autre peut aboutir à des tensions, du stress, avec les conséquences que cela entraîne. La formation implique donc que l'intéressé examine ces aspects de sa vie et agisse pour y remédier.

Il convient de mentionner aussi trois autres aspects de l'équilibre. Le premier est un certain équilibre intérieur, le calme auquel on peut ordinairement atteindre par diverses formes de contemplation, de méditation et de yoga.

Le second est un équilibre entre la pensée, les sentiments et la volonté ou leur intégration. Par exemple, quelqu'un qui pense toujours à une chose ou à une autre mais ne fait jamais rien n'a pas cet équilibre. Inversement, celui qui est impatient d'agir, qui se lance dans l'action sans réfléchir le moins du monde à la question n'a pas non plus cet équilibre. Ou encore, une personne qui passe tout son temps à exprimer ses sentiments, à faire part à chacun de ses émotions serait mieux équilibrée si elle réfléchissait à ce que signifient ces sentiments et à leur cause. Arriver à ce genre d'équilibre est un autre point essentiel de la formation.

Enfin, il faut qu'il y ait équilibre entre les quatre points essentiels de la formation, c'est-à-dire entre le temps et les efforts que vous consacrez à développer, respectivement, votre santé, vos capacités, vos actes et votre identité. Certaines personnes, par exemple, deviennent des «phénomènes» de la forme physique parce qu'elles passent tellement de temps à des exercices qu'il ne leur en reste plus pour développer leurs capacités professionnelles, pour se rendre utiles à la société ou pour prendre conscience d'elles-mêmes. D'autres consacrent tous leurs efforts à des pratiques devant leur donner la conscience de soi, et cela aux dépens de leur santé, de leurs capacités professionnelles et de leur pouvoir d'agir. D'autres encore s'activent tellement pour obtenir des réalisations que leur santé en est atteinte. Il est donc nécessaire qu'il y ait un équilibre «vertical» entre l'extérieur et l'intérieur, entre travailler à sa formation et accomplir sa tâche au travail, dans la famille et dans la communauté.

Que dire d'une volonté saine? Il s'agit ici, essentiellement, de la santé physique, qui dépend notamment du régime alimentaire, de la nutrition, des habitudes d'hygiène (sommeil régulier, activités délassantes, exercice, ne pas fumer) et de la forme physique.

Prenons maintenant les capacités. En ce qui concerne la pensée, nous devons développer toutes sortes d'aptitudes intellectuelles et conceptuelles, notamment la mémoire, la logique, les connaissances professionnelles et techniques, la créativité et, ce qui est peut-être plus difficile, l'intuition.

S'agissant de la capacité d'agir ou de vouloir, on trouve les aptitudes physiques, l'adresse technique et l'habileté professionnelle (par exemple dans l'emploi du matériel, la manipulation des matériaux, la dextérité, etc.).

La colonne du milieu – les capacités relevant des sentiments – est intéressante. C'est ici qu'on trouve peut-être la différence entre un exécutant habile (capacité de vouloir) et un véritable artiste: celui-ci fait intervenir ses sentiments. Ainsi, le peintre, le sculpteur, le musicien, le tisserand ou le spécialiste du batik, s'il est vraiment artiste, traduit ses sentiments en actes. C'est ici que la simple technique ne suffit pas; il faut y ajouter un élément vital, le sentiment personnel. S'agissant des gestionnaires, cela est surtout vrai pour le sens des rapports sociaux, pour les contacts qu'on peut avoir avec les gens. Avoir commerce avec les gens d'une façon purement mécanique axée sur la technique ne suffit tout simplement pas, qu'il s'agisse d'écouter, de communiquer, de comprendre, d'aider, de négocier, de motiver, de discipliner, d'aimer, ou ce qu'on voudra. Ces activités sont inséparables des sentiments que nous éprouvons pour nous-mêmes et pour les autres, de sorte que nous devons devenir des artistes sociaux plutôt que des mécaniciens sociaux. C'est pourquoi le sens des rapports sociaux figure dans la colonne «sentiments».

Que vous ayez des aptitudes ne garantit naturellement pas, en soi seul, que vous arriverez en fait à des résultats. Il faut en outre, pour cela, une motivation, et cela nous amène à la série suivante des rubriques du tableau. Tout d'abord, pour réaliser, vous avez très souvent à choisir entre deux possibilités. Parfois, le choix est des plus clairs quand une des possibilités s'impose manifestement comme étant la plus souhaitable. Mais, souvent, les solutions possibles présentent à la fois des avantages et des inconvénients. En outre, certains des aspects positifs d'une des possibilités peuvent paraître extrêmement séduisants, comparés à certains aspects moins favorables d'une autre possibilité, même si, dans l'ensemble, on ferait probablement mieux de choisir cette dernière. C'est pourquoi il est souvent nécessaire, pour réaliser quelque chose, de renoncer à des avantages intéressants, de dire non, ou de faire des sacrifices en faveur d'une solution dans l'ensemble meilleure.

Quand tout va bien et donne satisfaction, il est très facile d'agir. Mais il arrive souvent, malheureusement, que les choses tournent mal, provoquent des échecs, des déconvenues ou même des soucis et des souffrances. Dans ces cas, il n'est que trop facile d'abandonner. Quelqu'un de bien formé est cependant capable de continuer la lutte. Il ou elle ne renonce pas devant la difficulté mais persiste, se laissant peut-être instruire par la déconvenue et les soucis et comprenant ce qu'ils signifient. C'est ici qu'interviennent le courage et la motivation dans la vie affective.

Réaliser quelque chose exige aussi que vous soyez capable de prendre des initiatives, d'être «proactif», c'est-à-dire de prendre vous-même des mesures plutôt que d'attendre que quelque chose se passe ou qu'on vous dise ce qu'il faut faire (être «réactif»).

Ainsi, dans un certain sens, nous avons vu qu'avec la santé – physique et mentale – nous pouvons acquérir des capacités; qu'avec des motivations et du courage, ces capacités peuvent se traduire en action. De ce fait, nous acquérons le sentiment de notre identité – le sentiment que «je suis content d'être moi», comme l'a dit quelqu'un dans un récent cours de formation. Cette acceptation de soi s'accompagne de la connaissance et de la compréhension de soi ainsi que d'un mouvement intérieur, d'une direction intérieure, le sentiment que la vie a un but.

Il ne s'agit naturellement pas de s'accepter avec complaisance; cela irait à l'encontre de la formation. Non, cette acceptation implique la reconnaissance de vos points faibles sans que celle-ci vous amène à vous détester ou vous abatte; en même temps, vous décidez de vous améliorer sur ces points et de tirer le meilleur parti de ces imperfections. Vous apercevez aussi et reconnaissez ce qu'il y a de fort en vous et en êtes heureux sans prendre pour cela trop d'assurance ou en tirer gloire ou, au contraire, sans vous en excuser et faire preuve de fausse modestie.

Voilà donc un résumé de ce qu'est l'autoformation: affermir sa santé, développer ses capacités, ses motivations, le sentiment de son identité et avoir un but dans la vie.

Formation de la personnalité ou formation à la gestion?

Jusqu'ici, il n'a guère été question du gestionnaire en tant que tel. On peut plutôt dire que les résultats résumés dans le tableau 1 constituent une formation de la personnalité plutôt que d'un gestionnaire.

Il est clair cependant que les gestionnaires sont des personnes! Et on se rend de plus en plus compte aujourd'hui du lien qui existe entre le développement de la personne et la formation professionnelle. S'agissant de la gestion, cette idée s'est traduite par de nouvelles manières d'envisager la compétence et l'efficacité en la matière.

L'une d'elles considère principalement les trois niveaux de compétence suivants.

Au premier niveau, le gestionnaire se comporte comme un technicien. Il est capable de s'acquitter des tâches ordinaires courantes et d'appliquer les procédés prescrits et sait utiliser les techniques qui lui ont été enseignées, se rappeler les faits, comprendre les explications que les autres donnent de leurs idées et de leurs théories. Il est capable de réagir «correctement» à ce qui se passe, c'est-à-dire selon des méthodes bien établies, qui lui ont été enseignées et expliquées, ou suivant ses habitudes et des procédés qu'il connaît bien, acquis d'ordinaire par l'expérience mais sans réfléchir.

Il n'y a évidemment aucun mal à procéder de la sorte. Nombre de travaux (une grande partie de ce qu'on appelle «d'administration») demandent beaucoup de qualités de ce genre. Mais souvent cela ne suffit pas car le travail de gestionnaire demande encore autre chose, qu'on peut apercevoir au stade suivant de la formation, lorsque le gestionnaire agit en spécialiste.

A ce stade, d'autres facteurs interviennent. Il s'agit d'avoir «des capacités bien à soi» – créer son propre style. Les connaissances deviennent plus personnelles et forment un tout intégré au lieu d'être un assemblage de faits sans rapport entre eux. Ces systèmes exigent souvent que l'on soit capable de manier des idées apparemment contradictoires, de commencer à faire des synthèses, à penser «aussi bien... que...», plutôt que «ou bien... ou bien...». On choisit consciemment entre diverses lignes de conduite possibles dans des situations douteuses. Ces situations, à la différence de celles qui se présentent au niveau «technique», sont telles qu'elles n'appellent pas de solutions toutes faites, correctes et prédéterminées. Au contraire, le gestionnaire doit être maître de ses décisions en même temps qu'il doit être de plus en plus conscient de soi, de s'instruire par l'expérience. Il devient ainsi particulièrement important d'intérioriser ce qui se passe. Des idées plus fécondes pourront se faire jour; on fait l'essai de nouvelles façons de voir les choses, d'aborder les vieux problèmes aussi bien que les nouveaux.

C'est à ce stade qu'on voit intervenir les résultats de la formation indiqués dans le tableau 1. On peut passer encore à un autre niveau, où l'on dira peut-être que le gestionnaire se comporte comme une personne mûre, niveau semblable à celui du «spécialiste», avec quelque chose d'important en plus; c'est que je comprends vraiment, en tant que personne, ce qu'être gestionnaire signifie pour *moi*, ce qui suppose l'examen de l'équilibre qu'il y a entre moi en tant que gestionnaire, moi comme mari ou femme, moi comme père ou mère, moi comme membre de la communauté, etc. C'est à ce niveau aussi que les questions de règles, de valeurs et de morale personnelles jouent tout leur rôle. Souvent le gestionnaire doit résoudre des conflits difficiles entre ses propres valeurs et celles de son organisation. Par exemple, vous trouvez peut-être qu'on vous demande de traiter vos subordonnés d'une manière à votre avis erronée. Ou on vous ordonne de mentir sur ce qui se passe dans votre organisation, cela pour la protéger contre des critiques de l'extérieur, critiques que vous estimez justifiées.

Parfois aussi on doit faire face aux réalités de la «déformation professionnelle»: certains aspects du travail forcent les intéressés à agir d'une façon qui va directement à l'encontre de leurs convictions profondes ou trouble leur équilibre d'une des manières que nous avons vues. Votre travail peut, par exemple, vous obliger à tellement réfléchir qu'il vous reste peu de temps pour faire quoi que ce soit d'autre; ou bien il se peut que vous deveniez si spécialisé dans des tâches matérielles que vous passez tout votre temps à des travaux manuels, techniques, vous isolant ainsi des autres personnes et, par suite, sans développer votre sens des rapports sociaux. Le gestionnaire, qui est une «personne mûre», s'en rend compte et fait en sorte de rétablir l'équilibre.

L'expression «personne mûre» est un peu embarrassante. A ce troisième niveau, la personnalité du gestionnaire est tellement engagée que nous pouvons dire qu'il faut que vous vous exprimiez totalement dans ce rôle de gestionnaire. Vous vous souviendrez que, plus haut, cet élément d'expression personnelle a été mentionné comme une caractéristique des talents artistiques, de sorte qu'on s'exprimerait mieux en parlant, pour ce niveau, de «gestionnaire en tant qu'artiste». La gestion cesse ainsi d'être un processus systématique et mécanique («les techniques et la science de la gestion») pour atteindre à un niveau entièrement nouveau celui de l'art de la gestion. On a donc:

o   le gestionnaire-technicien: techniques de la gestion

o   le gestionnaire-spécialiste: science de la gestion

o   le gestionnaire-artiste: art de la gestion.

Il doit être bien clair qu'en passant par ces trois niveaux (techniques – science – art), on doit donner toujours son être, sa personne tout entière à son travail de gestionnaire. Ces niveaux sont les résultats de la formation de soi-même mis en pratique.

Dans le monde actuel, qui évolue rapidement, il ne suffit plus d'être un gestionnaire-technicien (niveau 1). On a un besoin urgent de gestionnaires-spécialistes (niveau 2) et de gestionnaires-artistes (niveau 3). C'est seulement en présentant les qualités caractéristiques de souplesse, de créativité et de sérieux que nous pourrons gérer le monde compliqué où nous nous trouvons.

Bien entendu, ce n'est pas déprécier pour autant le premier niveau. Tous les gestionnaires doivent être capables de travailler de temps à autre en techniciens. Mais cela ne suffit plus; en passant au deuxième et au troisième niveau, vous augmentez votre capital d'aptitudes et vous préparez ainsi à travailler sur un éventail plus varié de situations complexes.

Nous pouvons voir là aussi un autre exemple de l'équilibre qui est la clé d'une formation harmonieuse. Comme on l'a vu, on en a un aspect dans l'équilibre entre la vie intérieure et la vie extérieure: travailler à votre personnalité et à des tâches dans le monde extérieur. Idéalement, donc, il conviendrait de voir dans le développement des qualités intimes, personnelles, une préparation aux tâches qui doivent être accomplies dans votre organisation, votre famille ou votre communauté. Le gestionnaire vraiment efficace est conscient de ses responsabilités à l'égard de ces tâches et il est prêt, par conséquent, à développer les qualités intérieures qui sont exigées.

1.3 Les processus de l'autoformation

Se former soi-même

Il sera utile maintenant de revenir à ce que présente, sous votre plume, la figure 2, dans laquelle vous avez inscrit les caractéristiques des principaux événements touchant votre formation.

Jusqu'ici, nous nous sommes concentrés sur les résultats de ces événements (colonne 2), considérant ainsi les idées concernant la formation de soi-même. Nous pouvons nous tourner maintenant vers les processus en cause, en examinant ce que vous avez écrit dans la colonne 3 de la figure.

Comme pour les résultats, les indications figurant dans cette colonne varieront naturellement d'une personne à l'autre. Quelques exemples empruntés à d'autres gestionnaires indiquent:

o   résoudre un problème;

o   trouver la réponse qui me convient;

o   essayer une nouvelle méthode de faire telle ou telle chose;

o   réfléchir sur quelque chose qui s'est passé;

o   abandonner de vieilles idées;

o   prendre un risque;

o   surmonter une profonde émotion, telle qu'une déception, un chagrin;

o   relever un nouveau défi;

o   lire;

o   obtenir des renseignements et les utiliser;

o   mettre une nouvelle idée à exécution.

Ces attitudes ont un point commun (comme l'auront probablement les vôtres): elles sont essentiellement actives. Certes, elles peuvent être mentales aussi bien que physiques, mais l'intéressé est personnellement engagé. Il n'a pas l'attitude de quelqu'un qui écoute passivement ce qu'on lui dit, à qui on donne des instructions.

Il y a naturellement des exceptions. Néanmoins, il est probable que la majorité de vos processus vous ont amené à faire certaines choses, mentalement ou physiquement. Et vous trouverez très souvent que, dans les cas où vous étiez relativement passif (par exemple lorsque quelqu'un vous a expliqué quelque chose), vous avez eu à appliquer ce qu'on vous a dit à une tâche ou à un problème concrets. C'est là une autre caractéristique de la formation: elle est presque toujours en rapport avec quelque chose qui se passe dans votre vie ou elle touche à une question, un problème ou une tâche importants auxquels vous avez à faire face. On n'y arrive que rarement grâce à un cours ordinaire faisant partie d'un programme établi par quelqu'un d'autre et qu'on a suivi pour passer un examen ou obtenir un diplôme.

Ce point est très important et mérite d'être souligné. La formation de soi est rarement (mais elle l'est parfois) le produit d'idées abstraites, scolaires, théoriques, acquises dans un programme établi par quelqu'un d'autre. De plus, dans les cas relativement peu nombreux où elle se produit de cette façon, c'est grâce au processus (par exemple on a appris à réfléchir) plus qu'au contenu du cours.

Cela ne signifie pas que la théorie en tant que telle soit sans importance ou pertinence. Loin de là. Ce qui importe, toutefois, c'est de faire d'une théorie votre chose en la travaillant d'une manière qui ait de l'importance pour vous. Pour devenir vivante, une théorie doit être intégrée à l'expérience personnelle.

Une personne arrive à se former en trouvant un sens à quelque expérience nouvelle ou en abordant un problème important pour elle, c'est-à-dire concernant son travail ou sa vie.

Les choses se passent comme l'indique graphiquement la figure 3.

Le cycle de la formation commence avec une préoccupation réelle. Ce peut être un problème ou une tâche; ce peut être une surprise ou un sujet de perplexité, ou même un choc, quand il s'est passé quelque chose d'inattendu qui semble n'avoir pas de sens.

Figure 3. Le cycle de la formation

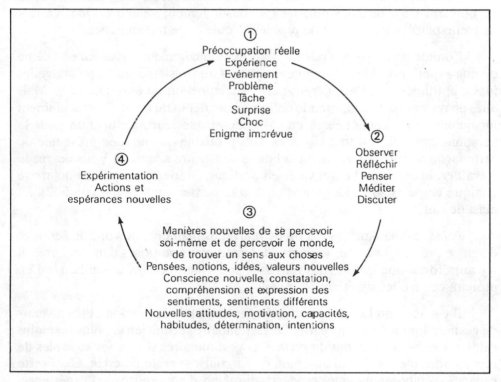

Au stade suivant, on réfléchit sur le problème ou l'expérience, on essaie des explications et des idées, on en discute peut-être avec autrui. Vous arrivez ainsi à acquérir, sur vous-même et sur le monde qui vous entoure, des vues nouvelles qui peuvent avoir trait à l'un ou l'autre des aspects de votre vie intérieure examinés précédemment ou à tous les trois, à savoir la façon de penser, de sentir et de vouloir.

En ce qui concerne les façons de penser, on peut parvenir à trouver la signification d'un fait par des voies nouvelles, arriver à de nouvelles théories, idées, notions, convictions, valeurs, etc. Il se peut que la conscience que vous avez de vos sentiments se présente sous une forme nouvelle en même temps que vous en prenez connaissance et acquérez la capacité de les exprimer. Ou bien vous pourrez éprouver des sentiments différents à l'égard de quelque chose ou de quelqu'un. Il peut en résulter des motivations, des aptitudes, des habitudes, une détermination ou des intentions entièrement différentes.

C'est en quelque sorte à ce troisième stade du cycle qu'apparaissent les résultats de la formation. Mais tout n'est pas terminé par là; ces résultats doivent être intériorisés, consolidés, faire partie du caractère. Cela n'est possible que si l'on met à l'épreuve les idées nouvelles et les sentiments, que l'on donne suite aux intentions. Quand il apparaît que tout cela va bien, la formation est consolidée.

Parfois, cependant, on constate que, tout bien vu, les idées nouvelles, etc. ne donnent rien; ou elles ne sont que partiellement valables. Dans ce cas, nouvelle perplexité, surprise ou problème, et le cycle recommence.

Comme on l'a vu, le cycle de la formation commence avec un problème ou une expérience. Mais il commence parfois au troisième stade: de nouvelles idées, aptitudes, etc. s'acquièrent par des lectures ou un enseignement. Mais elles en restent parfois là, comme enfermées au début du cycle. C'est seulement lorsqu'elles sont appliquées à un cas concret que leur signification pour la personne apparaît. En tout cas, il est très probable qu'une idée présentée de cette façon ne sera pas vraiment la bonne dans votre situation. Vous devrez la travailler, la mettre à l'épreuve et en pratique (stade 3) jusqu'à ce qu'arrive quelque chose (stade 1) à quoi vous devrez penser vous-même (stade 2). Et ainsi de suite.

Ainsi, même dans les cas où de nouvelles manières de voir, de sentir et d'agir se présentent à vous (venant d'un instructeur ou prises dans un livre), il n'y aura formation que si vous réagissez activement, en les travaillant, en en prenant ce qu'elles signifient pour vous.

Il y a aussi un lien entre cette conception de la formation et les niveaux de gestion dont nous avons parlé. Le gestionnaire technicien est plus ou moins celui qui en reste au début du cycle. Ces gestionnaires sont assez capables de recevoir des idées d'autrui mais non de parcourir le reste du cycle. C'est cette capacité d'élaborer quelque chose par soi-même, d'apprendre par l'expérience, d'aborder de nouveaux problèmes qui fait essentiellement la différence entre la gestion technique et les autres (la gestion scientifique et la gestion artistique). C'est là, en quelque sorte, l'élément supplémentaire.

Les grandes stratégies de l'autoformation

Nous avons donc vu que l'autoformation a pour résultat de former la personnalité et que, pour obtenir ce résultat, il est nécessaire de suivre les processus qu'implique la formation par soi-même.

Les chapitres 3 à 8 indiqueront les moyens de le faire, c'est-à-dire la voie à suivre pour se former soi-même. Mais, pour l'instant, il pourrait être utile de mettre en lumière deux méthodes ou stratégies susceptibles d'être utilisées. Elles consistent à:

o   rechercher une série d'expériences, de problèmes et de questions à utiliser comme véhicules de la formation, c'est-à-dire à intensifier les activités au stade 1 du cycle de la formation;

o   savoir mieux tirer profit de vos expériences pour vous former, c'est-à-dire acquérir les talents et les points de vue requis aux stades 2, 3 et 4 du cycle de la formation.

Bien entendu, nombre d'expériences et de problèmes se présentent à nous sans que nous ayons à les chercher. Mais souvent ce sont en fait les mêmes expériences qui se répètent, d'où le vieux dicton selon lequel, pour beaucoup de gens, «une expérience de dix est en réalité l'expérience d'un an répétée dix fois». Ce n'est donc pas seulement la «quantité» de l'expérience mais aussi sa nature, ou sa qualité, qui compte. Les chapitres 3 à 8 indiquent un certain nombre de moyens d'améliorer et d'augmenter la qualité de votre expérience et de vous fournir ainsi de bonnes occasions de vous former. Les mêmes chapitres considèrent aussi les moyens d'améliorer votre capacité de formation en tirant parti de vos expériences, celles qui se présentent d'elles-mêmes, au travail et dans la vie quotidienne, et celles que vous décidez de faire.

Le rôle d'autrui dans votre autoformation

Il sera utile maintenant de mettre en lumière un autre aspect des processus de l'autoformation. Revenant à votre tableau original (celui de la figure 2), dans combien des faits cités intervenaient d'autres personnes? Il est très probable que cela aura été le cas pour nombre d'entre eux. Car un point intéressant ici est que, très souvent, vous avez besoin d'autrui pour vous aider à vous former.

D'autres personnes peuvent participer à l'expérience ou être un élément du problème, de la question, de la surprise. Elles peuvent vous aider en vous renseignant, en émettant des doutes, en participant, en discutant, en vous aidant à réfléchir et à penser. Elles peuvent vous apporter leur appui lorsque le processus est difficile ou embarrassant, ou elles peuvent élever des objections, vous tenir tête, vous forçant ainsi à reconsidérer vos idées.

Qui sont ces autres? D'habitude, ce peuvent être des amis, des parents, des collègues, des camarades d'études. Ces derniers présentent un intérêt particulier car vous pouvez les aider en même temps qu'ils vous aident. Ce peut être une très bonne idée de former un petit groupe – groupe d'assistance mutuelle – d'amis ou de collègues qui veulent s'entraider à se former. Ou bien vous pouvez vous arranger avec une personne avec qui vous voir régulièrement et échanger des vues. Cette personne pourrait être appelée votre «interlocuteur». Nous en dirons davantage sur les groupes d'assistance mutuelle et les interlocuteurs au chapitre 8.

D'ordinaire, il n'est pas nécessaire que l'autre ou les autres personnes soient des formateurs professionnels ou des spécialistes de la formation à la gestion. Presque toutes les méthodes d'autoformation indiquées aux chapitres 3 à 8 peuvent être pratiquées soit par vous-même agissant seul, soit avec un interlocuteur qui peut être une personne quelconque, un ami ou un collègue. Les méthodes n'exigent pas un formateur qui les applique pour vous. (Il y a quelques exceptions, que nous verrons plus loin.) Bien entendu, si vous pouvez vous adresser à un formateur qualifié, il n'y a aucun inconvénient à ce que vous

vous entreteniez avec lui. Mais, de toute façon, aucun formateur ne peut trouver le temps d'entrer dans les détails avec un gestionnaire.

C'est donc là un autre aspect de la formation par soi-même. Non seulement vous intervenez activement dans le processus, donnant aux choses votre propre signification, les comprenant à votre manière, etc. (comme dans la figure 2), mais vous ne dépendez pas de la présence et du savoir de spécialistes de la formation. Certes, il peut être utile – mais cela n'est pas indispensable – que vous partagiez votre formation avec quelqu'un d'autre, mais cette personne peut être n'importe qui, que vous choisirez, avec qui vous entendez travailler de cette façon. Vous pouvez fort bien vous passer de formateurs professionnels – bien qu'ils puissent être très utiles.

L'autoformation est-elle de l'égoïsme?

D'autres personnes peuvent donc vous aider dans votre formation. De même, vous pouvez les aider dans la leur en écoutant, en les renseignant, en échangeant des vues, etc.

Le lien entre votre formation et celle des autres présente encore un autre aspect important. Si vous procédez à des changements, comment les autres réagiront-ils? Seront-ils contents, ou leur plaisez-vous tel que vous êtes? Ou si vous décidez que, pour vous former, vous aurez à changer de travail ou à vous absenter un an à l'étranger pour y suivre un cours, qu'éprouveront les autres, votre famille par exemple?

C'est un véritable dilemme qui se pose ici. D'une part, c'est *vous* que l'autoformation concerne du fait que vous décidez de ce qu'il convient de faire, et comment, et que vous êtes entièrement maître de votre vie. D'un autre côté, une personne bien formée n'est pas égoïste mais tient compte des sentiments et des désirs d'autrui.

Ce conflit est peut-être un des plus difficiles à résoudre. Etre mon propre capitaine? Ou prendre les autres en considération? Ce qui importe d'abord, pour résoudre ce problème, c'est d'en prendre conscience. Devant un problème, tâchez de voir qui essaie de vous influencer (voir annexe 1). En même temps, qui d'autre votre décision touchera-t-elle, que vont-ils penser, éprouver et vouloir si vous décidez d'agir d'une certaine manière?

Essayez ensuite de mettre ces deux forces en balance au moment de prendre votre décision.

Parfois, peut-être, vous pourrez décider qu'en considération d'autrui vous ne devez pas prendre telle ou telle décision – par exemple aller suivre un cours à l'étranger. Mais c'est finalement *vous* qui devez décider – et vous devez vous rendre compte que c'est *vous* qui avez décidé. Il ne sert à rien d'en avoir du ressentiment, de reprocher aux autres de vous créer des difficultés, etc. Prenez votre décision à bon escient après avoir pris tous les facteurs en considération (et, probablement, après avoir écouté votre for intérieur, comme il est expliqué au chapitre 4), et puis persévérez dans votre décision.

Se juger soi-même

Une autre exigence de l'autoformation est que vous portiez un jugement sur vous-même. Bien que ce processus puisse être facilité par des discussions avec des tiers, c'est à vous à décider de ce à quoi vous voulez arriver. Nul ne vous ordonne de le faire, ni votre chef ni personne d'autre. Le chapitre 2 présente plusieurs méthodes possibles de procéder à ce jugement sur soi.

L'autoformation est un processus souvent difficile

Jetons maintenant un dernier regard sur ce que vous avez écrit dans la figure 2. C'est à présent la dernière colonne qui nous intéresse, celle de vos sentiments. Il est très probable que ce sera un mélange de sentiments plaisants et de sentiments déplaisants, ces derniers étant très probablement en majorité.

Pourquoi cela? Un regard sur la figure 3 – le cycle de la formation – aidera à l'expliquer. Le premier stade du cycle est fait de surprises, chocs, perplexités, problèmes, etc., qui seront vraisemblablement accompagnés de sentiments «désagréables» comme la confusion, une préoccupation, de l'anxiété, un choc, bien que vous puissiez parfois vous sentir transporté ou éprouver de la curiosité. Ces sentiments peuvent persister au deuxième stade, bien qu'au moment où, soudain, vous comprendrez, vous puissiez vous sentir réjoui, soulagé, réconforté, rassuré.

Ainsi, il faut s'attendre à des sentiments mêlés. Mais il est peut-être plus important de se rendre compte que les sentiments négatifs ne sont pas rares; c'est même à eux qu'il faut s'attendre. La formation est parfois chose pénible.

Il faut toutefois espérer que d'être conscient de ce fait, à savoir que la formation est parfois chose pénible, vous aidera à persévérer, à ne pas renoncer. Dans un certain sens, la formation demande de la confiance, confiance que les difficultés seront surmontées et vous apporteront des connaissances vraiment valables. Et, comme nous l'avons vu, discuter et échanger des vues avec quelqu'un d'autre rendront souvent l'expérience plus facile et plus fructueuse.

Tout cela semble peut-être un peu sévère et ne présager rien de bon! Ce n'est certainement pas notre intention. L'autoformation est, à bien des égards, une activité des plus passionnantes, qui apporte des satisfactions et donne le sentiment d'avoir accompli quelque chose. Mais il est important de souligner qu'elle compte souvent des moments difficiles, demandant un travail acharné, de la détermination et un engagement. Le chemin n'est pas facile et il n'y a pas de raccourci. Personne ne peut travailler dur à votre place; après tout, nous

Figure 4. Qualités personnelles qu'exige l'autoformation

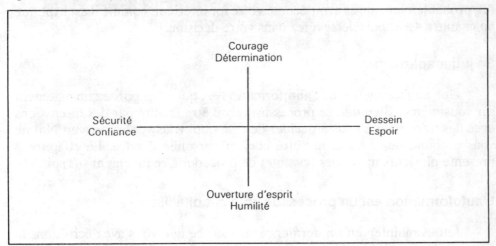

parlons d'*autoformation* et pas de l'enseignement d'un métier. Mais il y a certainement des moyens de rendre ce travail un peu plus facile et plus efficace, et on en trouvera plusieurs aux chapitres 3 à 8.

L'autoformation exige certaines qualités personnelles

L'autoformation exige donc que l'on travaille dur! Pour avoir l'énergie d'accomplir ce travail, il semble que la personne doit réunir quatre qualités principales. Ces qualités sont présentées dans la figure 4.

Dans cette figure, ces qualités se présentent dans deux dimensions.

Voyons d'abord la paire verticale. A l'une des extrémités, nous avons le courage et la détermination. Il faut du courage pour tenter une nouvelle expérience, rencontrer de nouvelles personnes, agir différemment; en effet, les résultats sont incertains. Entrer dans l'inconnu, faire face à de nouveaux problèmes, cela fait peur. De même, lorsque les choses se mettent à mal tourner, à devenir difficiles, à être des sources de déconvenues, on est très tenté de renoncer, de battre en retraite. Souvent aussi il faut beaucoup de temps avant que des effets apparaissent, et eux aussi peuvent être décevants. Il faut donc être bien résolu.

A l'autre extrémité de la verticale, on trouve l'ouverture d'esprit et l'humilité. Vous ne pouvez pas vous former, à moins d'accepter qu'il peut exister de nouvelles façons de voir et de faire les choses. Cette ouverture d'esprit suppose un certain degré d'humilité, sans laquelle vous aurez des chances de passer pour un «monsieur je sais tout», qui est en fait une personne habitée par un sentiment de supériorité.

Naturellement, il est possible d'aller au-delà de l'ouverture d'esprit, de pousser trop loin l'humilité. Il en résulte un sentiment d'infériorité et un manque de confiance en soi, et on finit par croire que les idées d'autrui valent mieux que les nôtres. Cela ne favorise pas la formation.

Il se peut de même que l'on soit trop courageux (au point d'être téméraire et imprudent) ou trop résolu (ce qui mène à l'obstination). Cela aussi est de nature à entraver la formation.

Voyons maintenant l'horizontale de la figure 4. Elle peut être considérée comme une dimension temporelle. A gauche, nous avons votre rapport avec le passé: vous-a-t-il laissé un sentiment de sécurité et un peu la conviction que les choses se passeront finalement très bien? Si c'est le cas, vous avez plus de chances de pouvoir affronter les défis que pose la formation et de persister lorsque rien ne semble aller mieux que si des expériences malheureuses vous ont rendu peu sûr de vous et donné le sentiment qu'en réalité il y a peu d'espoir.

Parallèlement, l'extrémité droite de cette ligne concerne l'avenir. Vous avez besoin de quelque chose qui ressemble à un objectif, à un but, ou tout au moins le désir d'aller dans une direction générale, même si cette direction semble assez vague. Si vous n'avez pas au moins le sentiment d'avoir un but ou, jusqu'à un certain point, l'espoir que vous pourrez vous former, vous serez de nouveau arrêté, comme ceux qui ne voient aucune raison d'évoluer et de se former parce qu'ils sont parfaitement contents de rester ce qu'ils sont.

Il faut prendre garde de ne pas exagérer ces qualités non plus. Un sentiment de sécurité et une confiance en soi exagérés peuvent se transformer en suffisance et en fatalisme, en un sentiment vague que «ce qui sera sera» et qu'il n'y a par conséquent rien à faire sinon attendre et voir ce qui va se passer. De même, le sentiment d'un but à atteindre, s'il est faussé, peut mener celui qui l'éprouve au fanatisme et à une opinion exagérée de sa propre importance.

Pour nous former, il nous faut donc:

o   du courage, de la détermination, mais pas de témérité, d'imprudence ni d'obstination;

o   un esprit ouvert, de l'humilité, mais pas un sentiment d'infériorité;

o   un sentiment de sécurité, de la confiance, mais pas de suffisance ni de fatalisme;

o   un but, de l'espoir, mais pas de fanatisme ni de désir de puissance.

A noter que, paradoxalement, ces qualités sont, dans une certaine mesure, le résultat de la formation. Ainsi, pour vous former vous devez être déjà formé!

En fait, il va sans dire que nous nous sommes tous déjà formés. Ce que nous voulons montrer ici c'est que, pour vous former davantage, vous devez utiliser ces qualités plus consciemment et vous efforcer aussi de les améliorer.

Figure 5. Capacités que suppose l'autoformation

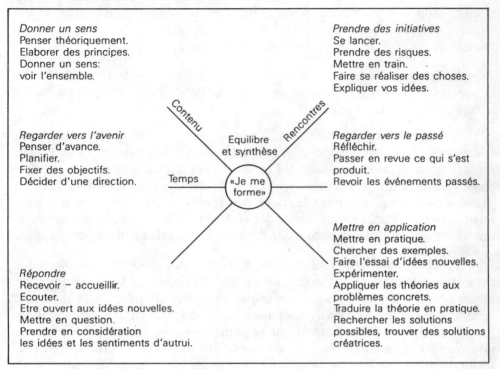

Donner un sens
Penser théoriquement.
Elaborer des principes.
Donner un sens:
voir l'ensemble.

Prendre des initiatives
Se lancer.
Prendre des risques.
Mettre en train.
Faire se réaliser des choses.
Expliquer vos idées.

Regarder vers l'avenir
Penser d'avance.
Planifier.
Fixer des objectifs.
Décider d'une direction.

Regarder vers le passé
Réfléchir.
Passer en revue ce qui s'est
produit.
Revoir les événements passés.

Contenu
Rencontres
Equilibre et synthèse
Temps
«Je me forme»

Mettre en application
Mettre en pratique.
Chercher des exemples.
Faire l'essai d'idées nouvelles.
Expérimenter.
Appliquer les théories aux
problèmes concrets.
Traduire la théorie en pratique.
Rechercher les solutions
possibles, trouver des solutions
créatrices.

Répondre
Recevoir – accueillir.
Ecouter.
Etre ouvert aux idées nouvelles.
Mettre en question.
Prendre en considération
les idées et les sentiments d'autrui.

L'annexe 4 indique une méthode (esquisse biographique) qui peut être utile ici, en particulier en ce qui concerne le sentiment de sécurité et celui d'un but. Et le chapitre 5 contient une description des moyens de travailler à avoir du courage et l'esprit ouvert. Plus vous utiliserez ces méthodes et vous formerez selon d'autres moyens, plus votre courage, votre ouverture d'esprit, votre sentiment de sécurité et celui d'un but à atteindre s'affermiront; et ainsi de suite, suivant un cercle positif!

Cela dit, il faut souligner encore une fois qu'il n'y a pas de réponse claire, toute faite, à l'autoformation. C'est un travail dur, et les progrès sont parfois négligeables en apparence. Parfois les changements, quand il s'en produit, sont subits, avec des éclairs soudains de signification. A d'autres moments, le changement est si graduel que vous ne le remarquez pas jusqu'à ce que quelqu'un vous le fasse peut-être observer.

Autre chose qu'il est important de bien marquer ici: le principe qu'il faut être prêt. Pour chacun de nous, il y a, pour la formation, des actes que nous ne sommes pas encore prêts à accomplir. Décider de ne rien faire, ce n'est donc pas prendre la fuite, c'est la prudence même. Il n'est malheureusement pas facile de décider si vous n'êtes vraiment pas prêt ou si vous devez vous risquer et faire le saut. Certaines des méthodes examinées au chapitre 4 (celles qui figurent dans la section intitulée «Etre aux écoutes de votre être intérieur») peuvent aider en pareille situation.

L'autoformation suppose certaines capacités

Jusqu'ici, nous avons examiné le processus fondamental de l'auto-formation (figure 3) et quelques-unes des qualités personnelles qu'elle exige (figure 4). Nous pouvons examiner maintenant certaines des capacités qu'elle suppose. Elles sont indiquées dans la figure 5.

Comme vous le voyez, ces capacités sont présentées sur trois axes: les rencontres, le contenu et le temps.

A un bout des «rencontres», nous avons les expériences faites avec le monde extérieur, d'ordinaire avec d'autres personnes (parfois avec des objets). Elles supposent des capacités permettant d'entreprendre des actions, de faire des choses parfois hasardeuses (à cause du risque d'échec ou parce que le résultat est incertain, douteux), de mettre des choses en train et d'en prendre l'initiative, de faire qu'elles se réalisent, d'expliquer vos idées à autrui. A l'autre bout, nous avons les expériences intéressant la personne intérieure, l'acceptation des idées. Les capacités requises pour cela sont celles qui permettent d'écouter, de garder l'esprit ouvert, de mettre en question, de respecter les opinions qui ne sont pas les vôtres et de marquer de la considération pour les sentiments d'autrui.

Voyons maintenant la ligne du «contenu». Au sommet, se trouve le champ de la théorie, et il vous faut donc avoir les capacités qui lui sont appropriées: la capacité de penser théoriquement, de manier des idées et des principes abstraits, de former des concepts. En revanche, à la base, on retrouve l'application et le sens pratique (avoir les pieds bien sur terre, en quelque sorte). Il faut pour cela la capacité d'essayer de nouvelles idées, de faire des expériences, d'appliquer la théorie à des problèmes concrets, de chercher des exemples, de trouver des solutions fécondes.

Troisièmement, nous avons la dimension «temps». A gauche, nous avons: planifier, réfléchir d'avance, fixer des objectifs, décider d'une direction. A l'autre bout, nous avons: le regard tourné vers le passé, qui suppose la capacité de réfléchir, de passer en revue ce qui a eu lieu, de considérer les événements antérieurs.

Toutes ces capacités sont nécessaires si on veut se former (un questionnaire figurant à l'annexe 1 vous aide à déterminer, pour chacune de ces aptitudes, le degré que vous avez atteint). Il est clair qu'à certains moments il sera plus important de penser d'avance, par exemple. A d'autres, il s'agira d'expérimenter. Et ainsi de suite. Il est donc essentiel de savoir alors décider de ceux des autres talents qui s'imposent à un moment donné et, alors, de les utiliser.

1.4 Pourquoi l'autoformation est-elle nécessaire?

Plusieurs raisons ou situations justifient le recours à l'autoformation.

Il y a tout d'abord l'effet de l'autoformation. Vous vous souviendrez que, dans la section intitulée «Formation de la personnalité ou formation à la gestion?», nous avons montré comment l'autoformation a pour résultat de donner les qualités, capacités, etc., nécessaires aux niveaux élevés d'efficacité gestionnaire. Ainsi, les méthodes d'autoformation qu'indique le présent livre sont celles qui sont nécessaires pour faire un gestionnaire vraiment compétent et efficace. En outre, c'est de ce genre d'efficacité qu'on a besoin pour gérer le monde compliqué, en constante évolution et plein de défis dans lequel nous vivons. Nous ne pouvons plus compter sur des réponses usuelles, des procédures toutes faites et des routines bien établies. Les organisations d'aujourd'hui ont besoin d'être plus souples, plus capables d'innover, d'être aux écoutes de la communauté et d'être responsables envers elles. C'est seulement au deuxième et au troisième niveau d'efficacité que nous trouvons ces qualités. En d'autres termes, l'autoformation est la méthode dont nous avons besoin si nos organisations sont appelées à survivre, pour ne pas dire prospérer, dans la situation présente.

Tout le monde ne sera pas de cet avis. Vous vous heurterez très probablement au scepticisme et à l'opposition que rencontrent les idées nouvelles, les nouvelles manières de procéder. Cette hostilité peut créer un sentiment de grande frustration et, parfois, vous serez sans doute découragé. Mais comme une des caractéristiques d'une personne bien formée (tableau 1) est la capacité de persévérer en dépit des déconvenues, ces difficultés mêmes pourront devenir une source ou le moyen d'une formation ultérieure.

Cela est évidemment plus simple à dire qu'à faire! Cette capacité ne s'acquiert pas facilement. Mais certaines des méthodes étudiées aux chapitres 3 à 8 peuvent au moins offrir quelque assistance dans cette direction.

En même temps, peut-être êtes-vous cause que quelqu'un d'autre se sente frustré? Vous comportez-vous vis-à-vis des autres d'une manière qui ne vous aide en rien quand c'est votre chef qui en use ainsi à votre égard? Il est très facile de vous plaindre parce qu'on ne vous écoute pas, qu'on ne veut pas vous laisser essayer des idées nouvelles, etc. Mais *vous*, écoutez-vous les autres et leur permettez-vous, *à eux*, d'essayer des idées nouvelles? Ici encore, le chapitre 8 peut vous orienter sur la façon de travailler à ces aspects de votre formation.

Nous avons aussi vu que, dans l'autoformation, vous décidez comment, quand et où vous former, qu'il vous appartient de vous engager activement dans le cycle de la formation. Ne pas dépendre de formateurs, d'horaires de cours, etc. est un autre avantage de l'autoformation. C'est à vous de décider quand apprendre: vous pouvez vous arranger pour entreprendre des activités de formation (comme lire, travailler à des exercices structurés, etc., ainsi qu'il est dit au chapitre 3) au moment et au lieu qui vous conviennent. Cela peut être à un moment déterminé de la journée (à l'heure du déjeuner ou le soir) ou lorsque vous constatez que vous avez une ou deux heures de libres. Vous pouvez le faire chez vous ou au travail.

De même, cela signifie naturellement que les méthodes d'autoformation peuvent être utilisées par les gestionnaires là où ils se trouvent seuls. Les moyens requis sont relativement simples, bon marché et faciles à obtenir. La plupart des méthodes examinées dans les chapitres qui vont suivre ne demandent en réalité que votre personne et un peu de temps, bien que souvent du papier et une plume ou un crayon aient aussi leur utilité. Aucune n'exige des techniques poussées (vidéos, dispositifs électroniques, films, ordinateurs, projecteurs) et seule une faible proportion d'entre elles exigent la participation d'autres personnes formant des groupes. Il n'est pas nécessaire d'attendre de pouvoir suivre un cours, soit à l'étranger soit dans un établissement trop couru. De sorte que, dans la plupart des cas, même si vous êtes seul au travail, vous pouvez utiliser la plupart des méthodes bien que, comme nous l'avons dit, il soit souvent utile d'avoir quelqu'un à qui parler de vos progrès, avec qui procéder à des échanges de vues et de sentiments. Mais cela n'est pas absolument indispensable.

Vu ses avantages – moyens simples, nul besoin de disposer de ressources très diverses, souplesse dans le choix du moment et du lieu –, cette méthode se prête particulièrement bien à son emploi dans les pays en développement.

On mentionnera enfin un autre avantage très important. Comme elle *vous* amène à porter un regard sur *vous-même,* à creuser les questions et les problèmes, à trouver vos propres solutions, à développer votre santé, vos talents, votre application et le sentiment de votre identité, il est à peu près certain que l'autoformation est la méthode qui est faite pour vous. A la différence de nombreuses autres méthodes de formation, il est beaucoup moins probable qu'elle vous présente des idées sans rapport avec votre situation, des idées soit sans pertinence et inutiles, soit positivement nuisibles.

En résumé, donc, l'autoformation demande que l'on travaille dur. Elle exige des qualités telles que la confiance en soi, l'espoir, l'ouverture d'esprit et le courage, implique l'emploi de nombreuses capacités et demande passablement de temps avant de donner des résultats. En ce sens, elle n'offre certainement pas de solutions simples à nos problèmes. En revanche, elle présente certains avantages très importants:

o elle mène aux niveaux supérieurs d'efficacité, ceux qui sont particulièrement importants pour des gestionnaires;

o elle se concentre sur les problèmes et les résultats à retenir, ceux qui comptent dans les situations où vous vous trouvez;

o elle recourt principalement à des moyens simples et aisément disponibles.

PORTER UN JUGEMENT SUR SOI-MÊME ET PLANIFIER SON AVENIR 2

Le présent chapitre est consacré à un certain nombre de manières de porter un jugement sur soi-même comme moyen de décider comment vous entendez vous former.

Cependant, si, en vous jugeant vous-même, vous faites un pas des plus utiles vers votre autoformation, cela n'est pas absolument indispensable. Chacun de nous se forme de toute façon dans le cadre général de sa vie.

De sorte que, si vous ne voulez pas porter encore sur vous un jugement en bonne et due forme, vous n'en pouvez pas moins progresser et accélérer votre formation. Vous pouvez utiliser certaines des méthodes indiquées aux chapitres 3 à 8 (après tout, elles seront toujours là, que vous vous soyez jugé ou non); choisissez-en une qui vous plaise ou au hasard. Ou procédez à un «mini-jugement» en consultant la liste des résultats probables des méthodes (tableaux 3 et 4) et choisissez l'une d'elles.

Vous pouvez aussi vous concentrer sur les activités qui vous sont particulièrement utiles en ce qu'elles vous aident à apprendre à vous former en tirant les leçons d'expériences quotidiennes. Elles vous aideront alors à utiliser au mieux les occasions de vous former qui se présentent chaque jour.

D'autre part, si vous voulez essayer de porter un jugement sur vous-même en procédant de façon systématique, le présent chapitre pourra certainement vous y aider.

2.1   Comment on se juge soi-même

Le jugement qu'on porte soi-même sur soi comparé à celui que portent les autres

Dans une certaine mesure, nous sommes toujours en train de nous juger. Chaque fois que vous êtes content – ou mécontent – de ce que vous avez fait, en un certain sens vous vous jugez.

Mais souvent cela ne va pas plus loin. En d'autres termes, la satisfaction ou le mécontentement que vous éprouvez ne vous amène pas à faire quoi que ce soit. En même temps, tout cela se fait un peu au hasard; parfois, vous savez combien, ou combien peu, vous avez réalisé; parfois vous ne vous en apercevez pas ou décidez de ne pas le remarquer!

Souvent, bien entendu, vous êtes obligé de considérer ce que vous avez fait ou, plutôt, quelqu'un d'autre vous y force. C'est généralement votre chef qui, sans aucun doute, vous le fait savoir de temps à autre en vous disant ce qu'il pense de ce que vous avez fait. Malheureusement, il semble que ce soit un principe foncièrement humain d'être porté à réagir négativement et à émettre des critiques défavorables plutôt qu'à remercier et à féliciter. Peut-être devriez-vous vous en souvenir quand vous faites part à vos subordonnés de ce que vous pensez.

Le jugement porté par autrui – d'ordinaire votre chef – est donc chose courante. Les différences avec le jugement que vous portez sur vous-même sont toutefois très importantes. Dans un certain sens, elles apparaissent déjà dans la communication de renseignements, c'est-à-dire de ce qu'on vous dit sur vous et ce que vous faites. La différence apparaît plus nettement au stade suivant.

Dans une évaluation ordinaire, l'autre personne non seulement vous donne des renseignements mais encore vous dit ce qu'il faut en faire. Elle ne vous dit pas seulement ce qu'elle pense de ce que vous avez fait mais aussi comment vous améliorer, les mesures que vous devez prendre, ce que vous devez faire. Voilà vraiment l'évaluation faite par les autres.

Il y a naturellement la méthode connue sous le nom de gestion par objectifs (GPO). En théorie, elle consiste pour vous à vous entretenir avec votre chef et à négocier avec lui de ce que vous devez faire et peut être ainsi considérée comme une étape vers le jugement porté sur soi. Mais, en pratique, il semble qu'elle donne rarement les résultats prévus, et la GPO se ramène d'habitude à n'être qu'une forme légèrement plus systématique d'évaluation par des tiers.

Le véritable jugement sur soi-même, répétons-le, commence au moment où vous recevez les renseignements, c'est-à-dire où l'on vous communique de façon relativement objective les faits concernant ce que vous avez fait et ce qui en est résulté. Il ne s'agit pas de jugements sur ce que vous auriez dû faire ou ce que vous devez faire maintenant. La nature des renseignements que vous recevez est ainsi différente. Ils proviennent d'un certain nombre de sources, dont quelques-unes sont données dans la figure 6.

Manifestement, d'autres personnes, y compris votre chef peut-être, sont une source importante d'où vous tirez des renseignements. Mais, la différence est dans ce que deviennent ces renseignements. Lorsque vous portez un jugement sur vous-même, vous décidez vous-même ce que ces renseignements signifient, vous portez votre propre jugement sur vous-même, vous décidez vous-même ce qu'il faut essayer de changer ou d'améliorer. Dans tous ces cas, vous examinez ce que vous pensez de vous-même, ce que vous éprouvez et

Figure 6.   Processus du jugement personnel sur soi-même

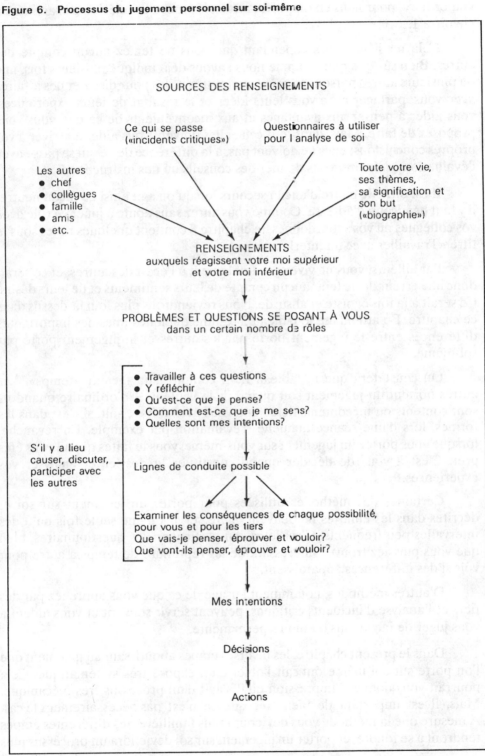

SOURCES DES RENSEIGNEMENTS

Ce qui se passe
(«incidents critiques»)

Questionnaires à utiliser
pour l'analyse de soi

Les autres
● chef
● collègues
● famille
● amis
● etc.

Toute votre vie,
ses thèmes,
sa signification et
son but
(«biographie»)

RENSEIGNEMENTS
auxquels réagissent votre moi supérieur
et votre moi inférieur

PROBLÈMES ET QUESTIONS SE POSANT À VOUS
dans un certain nombre de rôles

● Travailler à ces questions
● Y réfléchir
● Qu'est-ce que je pense?
● Comment est-ce que je me sens?
● Quelles sont mes intentions?

S'il y a lieu
causer, discuter,
participer avec
les autres

Lignes de conduite possible

Examiner les conséquences de chaque possibilité,
pour vous et pour les tiers
Que vais-je penser, éprouver et vouloir?
Que vont-ils penser, éprouver et vouloir?

Mes intentions

Décisions

Actions

voulez faire, pour nous en rapporter aux trois processus intérieurs examinés au chapitre 1.

Cela ne signifie pas cependant que vous ne teniez aucun compte des autres. Bien sûr que non. Comme nous l'avons déjà indiqué plusieurs fois, une ou plusieurs autres personnes peuvent être très utiles pour discuter des affaires avec vous, partager avec vous leurs idées et le résultat de leurs expériences, vous aider à penser aux avantages et aux inconvénients de ce que vous vous proposez de faire. Mais, dans tout cela, elles doivent vous aider à arriver à vos propres conclusions; elles ne doivent pas, à la différence de ce qui se passe avec l'évaluation ordinaire, vous donner des conseils ou des instructions.

Il est difficile d'être d'aucun secours lorsqu'on agit ainsi de façon neutre; il y faut beaucoup d'adresse. Comme vous aurez sans doute à jouer ce rôle avec vos collègues ou vos subordonnés, le chapitre 8 contient quelques notes sous le titre «Travailler avec un interlocuteur».

Par ailleurs, vous ne vivez pas totalement à l'écart des autres, et ce serait donc une erreur de ne tenir aucun compte de leurs sentiments et de leurs désirs. Ce serait à la fois égoïste et absurde. Nous reviendrons plus loin là-dessus dans ce chapitre. En attendant, le tableau 2 résume quelques-unes des importantes différences entre le jugement porté par les autres et le jugement porté par soi-même.

On constatera que le tableau tient compte d'un facteur «temps». Les autres portent un jugement soit quand ils le veulent – d'ordinaire quand ils sont contents ou mécontents de ce que vous avez fait –, soit, si c'est dans les formes, lors d'une séance annuelle d'évaluation par exemple. En revanche, lorsque vous portez un jugement sur vous-même, vous le faites quand vous êtes prêt. C'est à vous de décider quand constituer le dossier et analyser vos expériences.

Certaines des méthodes utilisées pour porter un jugement sur soi et décrites dans les annexes ne peuvent guère servir qu'une seule fois ou à des intervalles peu fréquents. C'est le cas en particulier des questionnaires, bien que vous puissiez trouver intéressant de les reprendre de temps à autre pour voir si des différences apparaissent.

D'autres méthodes, notamment l'usage de ce que vous apprenez par des tiers et l'analyse d'incidents critiques, peuvent servir souvent et vous aident à vous juger de façon plus ou moins permanente.

Dans le présent chapitre, les diverses étapes aboutissant au jugement que l'on porte sur soi-même ont fait l'objet d'un exposé très systématique. Cela pourrait vous donner l'impression qu'il s'agit d'un processus très mécanique. Mais, il est important de bien voir que ce n'est pas nécessairement le cas. A mesure que la méthode vous deviendra plus familière, ses différentes étapes tendront à se fondre, et porter un jugement sur soi deviendra un processus plus

Tableau 2. Le jugement personnel sur soi-même comparé au jugement porté par les autres

QUESTION	JUGEMENT DES AUTRES	JUGEMENT PERSONNEL SUR SOI-MÊME
Source des renseignements sur vous et votre performance.	Les autres, en particulier votre chef.	Comme dans la figure 6, à savoir: ● un certain nombre d'autres personnes; ● votre propre analyse de ce qui se passe («incidents critiques»); ● autres moyens de s'analyser; ● analyse de toute votre vie, ses thèmes, sa signification et son but [«biographie»).
Type des renseignements.	Sur les faits et leur évaluation, avec conseils et instructions.	Sur les faits, sans évaluation; ni conseils, ni instructions.
Qui décide alors du sens des renseignements, de ce qu'il faut faire.	Les autres, en particulier votre chef.	Vous-même.
Rôle des autres.	Source de renseignements, critiques, conseils et instructions.	Source de renseignements: ● vous aident à réfléchir sur les renseignements et à décider de leur usage; ● leurs idées, sentiments et volonté, à prendre en considération lorsque vous décidez de ce qu'il y a à faire.
Choix du moment.	Dans les formes: peu fréquemment, souvent, une fois par an. Sans formalités: lorsqu'ils en ont envie (souvent lorsqu'ils sont mécontents de vous).	Lorsque vous êtes prêt. Un processus continu est souhaitable

continu, ou permanent. Au lieu d'être une technique, il deviendra une manière de penser, d'aborder la vie.

Les étapes du jugement porté sur soi-même

La figure 6 donne un résumé du processus que constitue le jugement porté sur soi-même. Nous examinerons bientôt chacune des étapes de ce processus, mais il est utile de commencer par un bref aperçu général.

Au départ, vous recevez des informations de diverses sources sur vous-même, sur votre action. Enregistrées, analysées, ces informations vous permettent de voir quels sont les principales questions, les principaux problèmes auxquels vous devez faire face.

Réfléchissant à ces questions, souvent avec l'aide (mais non sous la direction) de quelqu'un d'autre, vous en venez à envisager certaines lignes de conduite possibles: que pourriez-vous faire maintenant? Comment pourriez-vous le faire?

Chacune de ces possibilités peut maintenant être évaluée en envisageant ses conséquences non seulement pour vous mais pour les tiers en cause. A partir de là, vous pouvez faire un choix auquel vous êtes tenu. Vous êtes alors amené à vos intentions.

Ayant rapidement examiné les étapes qu'implique un jugement porté sur soi-même, nous considérerons chacune d'elles un peu plus en détail. Mais, auparavant, il sera utile de considérer deux aspects de notre moi intérieur – le moi supérieur et le moi inférieur – car ils jouent un grand rôle dans la façon dont nous réagissons aux renseignements que nous recevons.

2.2   Notre moi supérieur et notre moi inférieur

Votre moi supérieur

Dans un certain sens, on peut dire que votre moi supérieur et votre moi inférieur représentent respectivement vos bonnes et vos mauvaises qualités. Ainsi votre moi supérieur, qui est une partie de vous-même, en est la partie honnête, courageuse, bonne, altruiste, utile, etc. C'est presque votre moi «angélique», de sorte que nous l'appellerons parfois votre «ange», ce qui est plus sympathique que «moi supérieur».

Bien que nous ayons tous un moi supérieur, il est peut-être surprenant que beaucoup de gens ont de la peine à reconnaître le leur. Ils sont tout simplement incapables de voir ce qu'il y a de bon en eux. Ils semblent ne pas connaître leurs points forts et ce qui mérite d'être apprécié chez eux et, si quelqu'un leur dit quelque chose d'aimable, ils sont embarrassés ou nient avoir fait preuve de bonté ou de toute autre qualité.

A l'inverse, d'autres gens tombent dans le défaut contraire, le pharisaïsme, la suffisance orgueilleuse, et se croient de bonnes qualités qu'ils n'ont pas en réalité. «Je suis plus vertueux que mon prochain» correspond bien à ce que pensent ces gens, qui tendent à ne voir que du bon chez eux et seulement du mauvais chez les autres.

Avant d'aller plus loin, il pourrait vous être utile de marquer sur une feuille de papier en quoi consiste principalement votre moi supérieur; comment décririez-vous votre ange? Constatez-le mais que cela ne vous rende pas suffisant!

Votre moi inférieur

Passons maintenant à ce qui représente vos mauvaises qualités – votre moi inférieur. Nous avons tous un moi inférieur, que nous pouvons appeler notre double ou la bête en nous. Votre double est la partie de vous-même qui contient vos aspects les moins plaisants – insécurité, orgueil, envie, haine, malveillance, cupidité, égoïsme, etc.

Comme nous avons tous notre moi inférieur, il est important ici aussi d'en prendre conscience. Nier les traits déplaisants de notre caractère ne nous aidera en rien à nous former. En même temps, il importe de ne pas laisser «la bête prendre le dessus»; autrement dit, nous devons éviter de nous sentir tellement honteux, coupables et déprimés à cause de notre moi inférieur que nous perdons toute confiance en nous et sommes possédés par le besoin de nous détester et réduire à néant.

Pouvez-vous mettre par écrit certains aspects de votre moi inférieur, de la bête? Qu'éprouvez-vous devant eux? Reconnaissez-les mais ne vous laissez pas dominer par eux! Dans un certain sens, vous pouvez presque en être heureux car ce sont ces aspects de nous-mêmes qui nous apportent quelque chose sur quoi travailler, à améliorer, dans le cadre de notre formation. Nous avons en quelque sorte réellement besoin de notre bête pour être capables de nous former!

Dans le présent chapitre, nous nous occupons essentiellement de considérer l'effet que votre moi supérieur et votre moi inférieur ont sur la manière dont vous acceptez ce qu'ils vous disent, recevez des renseignements sur vous-même et votre performance.

Au chapitre 4, nous reviendrons sur ces idées et traiterons de ces aspects de vous-même – votre ange et votre bête – pour tenter de mettre l'un en valeur et de triompher de l'autre ou de la dompter.

Recevoir des renseignements

Voyons d'abord votre réaction à ce que vous apprend votre moi inférieur, comme le montre la figure 7.

Quand la bête domine en vous, même ce qui est positif est déformé et prend une direction où il cesse d'être utile. La complaisance, la suffisance et l'orgueil apparaissent, ce qui vous donne une idée fausse et erronée de votre excellence et vous empêche d'agir sur vos points faibles jusqu'à ce que l'«orgueil précède la chute», après quoi il est trop tard.

Quand le moi inférieur domine, ce qui est négatif est, lui aussi, mal utilisé. Après tout, si les aspects négatifs de votre personnalité ou de votre performance vous sont révélés, la chose, bien que déplaisante, vous offre en tout cas une occasion de vous améliorer. Mais l'occasion est perdue si c'est la bête qui s'en saisit. Au lieu d'être considérés objectivement, les renseignements négatifs font naître des sentiments d'insécurité suivis presque aussitôt par toutes sortes d'autres réactions négatives, agressives et hostiles: sarcasmes, ressentiment, irritation, habitude de maugréer, idées noires, dépit et amertume. Ces sentiments sont d'habitude dirigés contre la source du malaise, c'est-à-dire la personne à qui vous devez d'avoir été ainsi renseigné bien que d'autres personnes soient souvent visées. Celles-ci sont très souvent celles dont vous ne pensez pas qu'elles puissent riposter: vos subordonnés, vos enfants ou votre chien. D'autres fois, c'est à vous-même que vous vous en prenez et vous entrez alors en humeur de vous détruire ou de passer même à des actes capables de vous perdre comme de devenir prédisposé à des accidents, de souffrir de maladies dues au stress, de prendre des risques sottement dangereux. Ce n'est certainement pas là le chemin qui mène à l'autoformation!

Comparez cela avec ce que vous enseigne votre moi supérieur, votre ange (figure 8). Dans ce cas, les renseignements négatifs, même désagréables, apparaissent comme une occasion de vous former. Armé de résolution et de courage, vous décidez de faire quelque chose, de travailler à améliorer votre performance et de vous améliorer vous-même. En même temps, les renseignements positifs sont reçus et reconnus comme tels, ajoutent au sentiment – dépourvu de complaisance et d'orgueil – de votre propre valeur, au sentiment positif de votre identité, au «je suis content d'être moi», pour parler comme au chapitre 1.

Et il y a en plus une prime. Le fait même de réagir avec votre moi supérieur est une façon de l'apercevoir, de vous mettre en contact avec lui. Cela, en soi, favorise votre formation.

Figure 7. Renseignements reçus par le moi inférieur

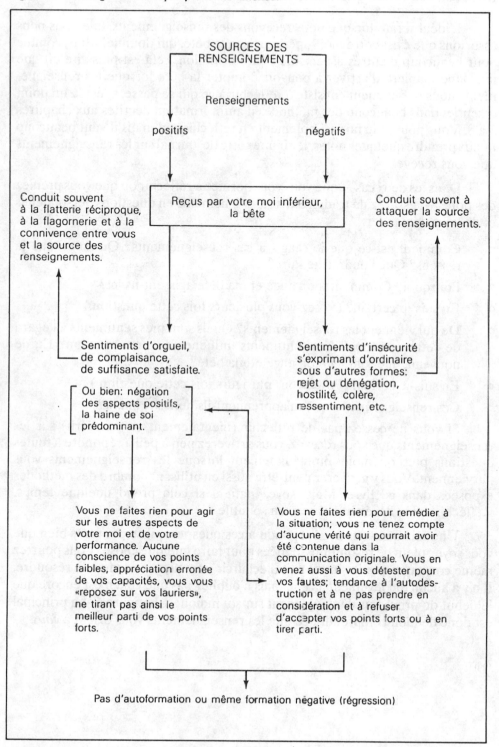

SOURCES DES
RENSEIGNEMENTS

Renseignements

positifs   négatifs

Conduit souvent
à la flatterie réciproque,
à la flagornerie et à la
connivence entre vous
et la source des
renseignements.

Reçus par votre moi inférieur,
la bête

Conduit souvent à
attaquer la source
des renseignements.

Sentiments d'orgueil,
de complaisance,
de suffisance satisfaite.

Sentiments d'insécurité
s'exprimant d'ordinaire
sous d'autres formes:
rejet ou dénégation,
hostilité, colère,
ressentiment, etc.

Ou bien: négation
des aspects positifs,
la haine de soi
prédominant.

Vous ne faites rien pour agir
sur les autres aspects de
votre moi et de votre
performance. Aucune
conscience de vos points
faibles, appréciation erronée
de vos capacités, vous vous
«reposez sur vos lauriers»,
ne tirant pas ainsi le
meilleur parti de vos points
forts.

Vous ne faites rien pour remédier à
la situation; vous ne tenez compte
d'aucune vérité qui pourrait avoir
été contenue dans la
communication originale. Vous en
venez aussi à vous détester pour
vos fautes; tendance à l'autodes-
truction et à ne pas prendre en
considération et à refuser
d'accepter vos points forts ou à en
tirer parti.

Pas d'autoformation ou même formation négative (régression)

Recevoir les renseignements de façon constructive

L'idéal serait, lorsque nous recevons des renseignements, que nous nous assurions que c'est notre moi supérieur, non la bête, qui domine! Mais, comme pour beaucoup d'autres aspects de l'autoformation, cela est plus vite dit que fait. Une manière d'arriver à pouvoir dompter la bête lorsque les renseignements nous parviennent consiste à réfléchir à ce qui se passe. C'est là un point essentiel dans beaucoup des méthodes d'autoformation décrites aux chapitres 3 à 8. Vous pouvez le faire simplement en réfléchissant, mais il vaut beaucoup mieux prendre quelques notes, tenir une sorte de journal sur les renseignements que vous recevez.

Dans les deux cas – que vous vous borniez à réfléchir ou que vous preniez des notes –, essayez de traduire vos renseignements en questions personnelles et de vous demander:

o   Comment est-ce que je réagis à ces renseignements? Qu'est-ce que je ressens? Que voudrais-je faire?

o   Pourquoi? Comment mon ange et ma bête agissent-ils ici?

o   En suis-je certain? (Posez-vous plusieurs fois cette question.)

o   De qui viennent les renseignements? Quels sont mes sentiments à l'égard de cette personne? Ces sentiments influencent-ils ma réaction? Et, de nouveau, que font ici mon ange et ma bête?

o   En suis-je certain (Posez-vous plusieurs fois cette question.)

o   Ces renseignements, que m'apprennent-ils donc vraiment?

Si vous ne cessez pas de réfléchir (mentalement ou par écrit) sur les renseignements que vous recevez, vous arriverez peu à peu à répondre à toutes questions plus ou moins immédiatement lorsque les renseignements vous parviennent. Vous y arriverez peut-être aussi en utilisant nombre des méthodes exposées dans ce livre. Mais, soyez patient si cela prend quelque temps. Réfléchir après l'événement sera en soi utile.

Une fois que vous avez répondu à ces questions, il se peut très bien que vous soyez plein de résolutions, d'idées pour faire quelque chose. Vous pourrez même constater que le simple fait d'éclaircir une question aide à la résoudre. Il n'y a aucun inconvénient à cela, mais n'oubliez pas que cela n'est encore que le début du processus d'un jugement sur soi indiqué à la figure 6. Le principal est donc de bien comprendre ce que les renseignements vous disent à *vous*.

Figure 8. Renseignements reçus par le moi supérieur

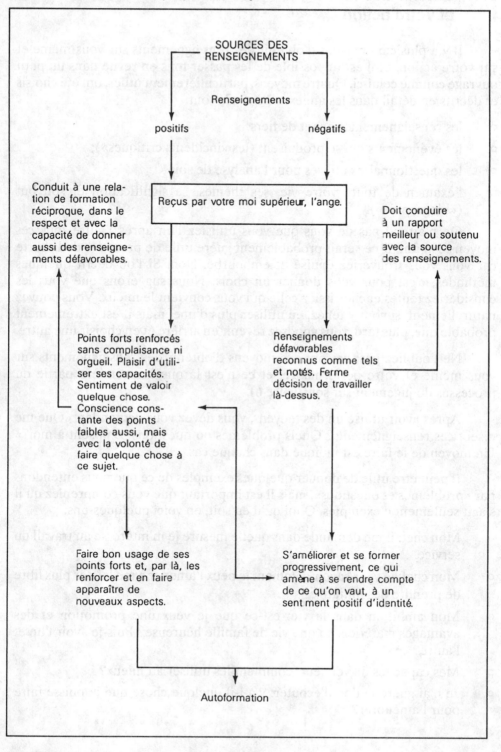

SOURCES DES RENSEIGNEMENTS

Renseignements

positifs   négatifs

Conduit à une relation de formation réciproque, dans le respect et avec la capacité de donner aussi des renseignements défavorables.

Reçus par votre moi supérieur, l'ange.

Doit conduire à un rapport meilleur ou soutenu avec la source des renseignements.

Points forts renforcés sans complaisance ni orgueil. Plaisir d'utiliser ses capacités. Sentiment de valoir quelque chose. Conscience constante des points faibles aussi, mais avec la volonté de faire quelque chose à ce sujet.

Renseignements défavorables reconnus comme tels et notés. Ferme décision de travailler là-dessus.

Faire bon usage de ses points forts et, par là, les renforcer et en faire apparaître de nouveaux aspects.

S'améliorer et se former progressivement, ce qui amène à se rendre compte de ce qu'on vaut, à un sentiment positif d'identité.

Autoformation

2.3   Obtenir des renseignements sur vous-même et votre action

Il y a plusieurs moyens d'obtenir des renseignements sur vous-même et sur votre action, et il est impossible de les passer tous en revue dans un petit ouvrage comme celui-ci. Quatre moyens, particulièrement utiles, ont été choisis et décrits en détail dans les annexes 1 à 4. Ce sont:

o   les renseignements venant de tiers;

o   les événements qui se produisent (les «incidents critiques»);

o   les questionnaires utilisés pour l'analyse de soi;

o   l'examen de toute votre vie, ses thèmes, sa signification et son but («biographie»).

On n'attend pas de vous que vous utilisiez l'un après l'autre tous ces moyens. En fait, il ne serait probablement guère utile de procéder de la sorte car vous vous trouveriez épuisé et embourbé. Non. Si l'on décrit quelques méthodes, c'est pour vous donner un choix. Nous suggérons que vous les considériez toutes et choisissiez celle qui vous convient le mieux. Vous pouvez naturellement, si vous y tenez, en utiliser plus d'une, mais il est extrêmement probable que, plus tard, vous voudrez revenir en arrière et en choisir une autre.

Ne l'oubliez pas: ce sont des moyens d'obtenir des renseignements sur vous même et votre performance, et ce n'est là que la première partie du processus du jugement sur soi (figure 6).

Après avoir utilisé un des moyens, vous devez vous demander: «Que me disent ces renseignements? Quels problèmes ou questions se posent à moi?» Un moyen de le faire est indiqué dans chaque cas.

Il peut être utile de donner quelques exemples de ce que nous entendons par «problèmes et questions», mais il est important que vous compreniez qu'il s'agit seulement d'exemples. Quoi qu'il en soit, en voici quelques-uns:

o   Mon chef: il me demande dans quelle mesure je m'intéresse au travail du service.

o   Mon chef: je veux savoir comment je peux l'amener à me laisser plus libre de prendre des initiatives.

o   Mon ambition dans la vie: est-ce que je veux une promotion et des avantages matériels ou une vie de famille heureuse? Puis-je avoir l'un et l'autre?

o   Mes capacités de vendeur: comment les utiliser au mieux?

o   Je n'ai guère le don d'écouter: y a-t-il quelque chose que je puisse faire pour l'améliorer?

○ Mon impatience: que puis-je faire parce que je m'impatiente, puis me fâche lorsque les choses prennent plus de temps que je ne le pensais?

○ Mon humeur: je suis souvent désagréable au téléphone; que puis-je faire à cela?

○ Ma femme: elle me demande: «Est-il vraiment nécessaire que tu ailles douze mois à l'étranger pour y étudier?»

2.4 Eclaircir les questions et les problèmes qui se présentent

Si vous avez essayé tous les moyens de réunir des renseignements dont traitent les annexes, il est probable que vous vous sentez pris de vertige et ne vous y retrouvez plus! En fait, il est très vraisemblable que vous vous serez concentré sur une ou deux méthodes et que vous reviendrez aux autres par la suite.

En tout cas, vous en êtes maintenant au point où vous êtes en présence d'une masse de renseignements et d'un certain nombre de questions ou de problèmes comme le montre la figure 9.

Un des problèmes ici est que non seulement vous risquez de ployer sous le poids – trop de problèmes et de questions à régler à la fois – mais que certains de ceux-ci sont peut-être en conflit entre eux, c'est-à-dire que certains peuvent très bien en contredire d'autres. Il n'y a pas de moyen simple de régler cette situation, mais il existe une ou deux choses que vous pouvez faire pour essayer d'en sortir.

Tout d'abord, dressez simplement la liste des questions et problèmes principaux que vous avez déterminés (quelle que soit la méthode utilisée). Il se peut que cela suffise. Vous n'aurez peut-être qu'à parcourir votre liste pendant quelques minutes pour qu'il en surgisse, pour ainsi dire, un ou deux domaines prioritaires, ce qui vous permettra de vous concentrer sur eux.

Mais, il y a naturellement beaucoup de chances pour que votre liste de questions et problèmes vous apparaisse encore très confuse. Dans ce cas, vous avez intérêt à les classer d'après les différents rôles que vous jouez dans la vie.

Les rôles que vous jouez

Qu'entendons-nous par là? Chacun de nous joue un certain nombre de rôles. Ainsi, quelqu'un peut avoir les rôles de:

○ gestionnaire dans un service;

○ président d'un comité permanent;

Figure 9. Questions et problèmes (1re phase)

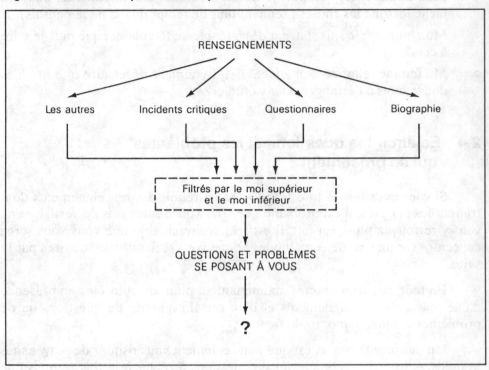

o   membre d'un conseil d'administration ou d'un organe de ce genre;

o   mari;

o   père;

o   ami.

Chacun de ces rôles peut se subdiviser en un certain nombre de rôles secondaires. Ainsi, le gestionnaire dans un service peut devenir:

o   responsable d'un service particulier;

o   membre d'un comité directeur;

o   ami de certains collègues.

Dans la plupart de nos différents rôles, nous nous trouvons en face de divers problèmes ou questions touchant notre vie. Aussi, un moyen de clarifier cette série est-il de les classer en fonction de ces rôles. Pour cela, il est utile de recourir à la forme donnée dans la figure 10. Vous énumérez dans la colonne de gauche vos principaux rôles dans la vie.

Il n'est naturellement pas nécessaire que vous indiquiez tous vos rôles. Vous pouvez vous limiter à ceux qui concernent votre travail, mais n'oubliez

Figure 10. Rôles et questions

Rôles que vous jouez (au travail ou dans votre vie)	Questions et problèmes que chaque rôle vous pose

pas l'importance croissante du lien qui existe entre formation au travail et hors du travail et de l'équilibre qui doit exister entre eux.

Une fois établie la liste de vos divers rôles, vous pouvez noter dans la colonne de droite du tableau, à propos de chacun d'eux, les questions et problèmes qui se posent à vous dans la vie.

Cela fait, vous devez y voir plus clair et pouvoir choisir certains domaines et problèmes dans lesquels intervenir. Il convient toutefois de signaler une difficulté importante. Il se peut fort bien que vous constatiez que les problèmes touchant deux rôles différents soient en opposition totale. Par exemple, on peut vous demander, au travail, de consacrer plus de temps au bureau ou d'aller suivre un cours à l'étranger alors que vos enfants disent: «S'il te plaît, sois plus souvent à la maison.»

Il n'y a certainement pas de solution simple à ce problème! La décision que vous aurez à prendre est difficile. Mais, il y a quelques moyens d'analyser ces situations un peu plus en détail et ils devraient vous aider. Nous allons les examiner maintenant.

Déterminer les lignes de conduite possibles

Nous sommes donc maintenant au point représenté dans la figure 11. Il s'agit dès lors d'examiner certains de ces problèmes et questions.

Votre but est naturellement de décider de ce que vous allez faire. Il est important de distinguer entre les désirs généraux (ce que vous voudriez faire), les intentions (ce que vous allez faire en réalité) et les premières mesures à prendre (commencer à agir). Pour combler le vide entre ces deux dernières, il vous faut aussi prendre des résolutions, qui sont un plan d'action détaillé de ce que vous allez faire.

Figure 11.   Questions et problèmes (2ᵉ phase)

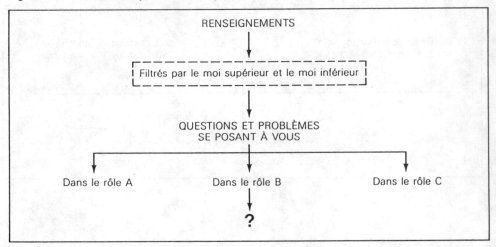

Comme nous l'avons dit, vous pouvez soit choisir une question particulière ou plusieurs questions en rapport entre elles (y compris celles qui se contredisent), soit en prendre deux ou trois sans rapport entre elles. Mais n'oubliez pas que vous pouvez toujours revenir en arrière et en considérer d'autres, de sorte qu'il est probablement bon, à ce stade, de ne pas en prendre trop à la fois.

D'autre part, vous serez parfois incapable de faire le tri de vos priorités avant d'en avoir bien examiné plusieurs en détail. Il est donc important d'en prendre toujours une vue d'ensemble, d'en examiner plusieurs et de vous concentrer alors sur certaines d'entre elles auxquelles accorder en priorité votre attention.

DÉSIRS : action souhaitée
INTENTIONS: motivations de l'action
RÉSOLUTIONS: plan d'action
PREMIÈRES MESURES: action

Les questions essentielles se posent de nouveau ici. Demandez-vous donc, pour celles que vous retenez:

o   Qu'est-ce que je pense de cela?

o   Qu'est-ce que j'éprouve à cet égard?

o   Que voudrais-je faire à ce sujet?

o   Que suis-je disposé à faire à ce sujet?

o   Que ne suis-je pas disposé à faire à ce sujet?

Il est indiqué d'examiner deux catégories de questions. La première comprend peut-être des questions comme celles-ci:

o   Comment apprendre à mieux écouter?

o   Comment puis-je m'affirmer davantage?

o   Comment améliorer ma forme physique?

En général, ces questions – que nous pouvons qualifier de portée restreinte ou étroite – retiennent un seul élément de votre formation: votre caractère, vos capacités ou votre santé, etc. Elles ne concernent que des aspects limités de votre formation.

Les questions de la secondre catégorie sont de portée beaucoup large. Il s'agit de problèmes comme ceux-ci:

o   Je veux fixer à ma vie certains buts pour les cinq années à venir.

o   Je ne suis pas satisfait de mon travail actuel. Dois-je en prendre un autre ou essayer de faire en sorte que les choses aillent mieux ici?

o   La possibilité s'offre à moi d'aller étudier un an à l'étranger. Dois-je la saisir?

o   Je songe à quitter mon emploi actuel et à me mettre à mon compte.

Il est clair que les problèmes de ce genre sont d'une portée beaucoup plus étendue que certains aspects bien précis de votre formation. Ils peuvent avoir une influence décisive sur tout votre genre de vie et ont des conséquences pour d'autres personnes aussi.

Nous pouvons considérer les deux catégories séparément.

Que faire des problèmes de portée restreinte?

Il y a principalement deux moyens d'aborder ces problèmes, comme le montre la figure 12.

Un moyen consiste donc à utiliser des techniques et des moyens d'action spéciaux avec lesquels vous former vous-même et qui sont en rapport avec le problème ou le besoin considéré. Les chapitres 3 à 8 en indiquent un certain nombre et donnent quelques directives sur les techniques particulièrement adaptées à certains types de problèmes.

Mais, l'autre manière, très importante, consiste à trouver, dans ce qui se passe normalement dans votre vie quotidienne, des occasions de vous former. Comme ce sont là des choses qui se passent en toute hypothèse, tirons-en le meilleur parti possible!

Cela est parfois plus facile si vous transformez le problème en actes.

Figure 12. Problèmes de portée restreinte

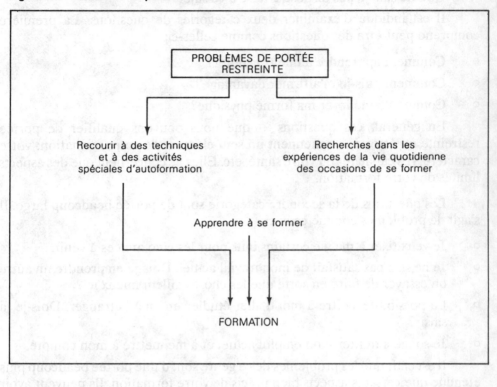

Par exemple, pensez au désir de mieux vous affirmer. Quand? En quelles circonstances? Envers qui? Donnez des exemples: quand pourrez-vous le mettre en pratique? Faites-en une intention: «Je veux être capable de dire à mon chef que je ne suis pas d'accord avec lui.» Vous décidez ainsi que la prochaine fois que vous ne serez pas d'accord avec lui vous le lui direz. Et, en le lui disant, vous aurez fait votre premier pas.

Ou prenez un autre exemple: «Je veux écouter davantage mon subordonné. Actuellement, je ne prête aucune attention à ce qu'il dit.» Fort bien. Décidez alors de le faire – la première fois qu'il viendra vous parler. Et quand il vient, faites votre premier pas.

Bien sûr, il est facile de dire: «Très bien – faites-le donc.» Ce n'est évidemment pas aussi facile que cela. Mais cela peut vous montrer les occasions qui existent. Très probablement, quand l'occasion se présentera, vous ne ferez pas aussi bien que vous l'auriez voulu. Fort bien, utilisez la chose comme une partie de tout ce que vous devez faire pour apprendre. Faites-en un incident critique et analysez-la comme on l'a dit plus haut dans ce chapitre. Laissez-vous instruire par l'échec – ou par le succès.

Que faire des problèmes de large portée?

Ces questions sont naturellement quelque peu différentes de celles dont la portée est restreinte. Par exemple, aucun exercice ni activité ne vous dira s'il vous faut changer de travail. Mais un certain nombre de choses pourront vous aider à régler ces questions plus vastes.

Si vous ne l'avez pas encore fait, vous constaterez probablement l'utilité de l'*exercice biographique* (annexe 4). Ainsi pourront être éclaircies les principales questions qui se posent à vous et vous pourrez mieux voir les principaux thèmes de votre vie, qui peuvent jouer un grand rôle quand il s'agit de prendre une décision vitale.

Traitant de ces questions plus vastes, vous constaterez presque certainement que plusieurs réponses ou solutions possibles s'offrent. Supposez, par exemple, que vous pensez à changer de travail. Plusieurs possibilités existent, notamment:

o non; je reste où je suis et j'essaie d'améliorer la situation ici;

o oui; je cherche à être muté à l'intérieur de l'organisation;

o oui; je cherche un emploi dans une autre organisation.

A ce stade, il est utile de prendre, l'une après l'autre, chaque possibilité et de l'examiner très soigneusement. Tout d'abord, notez les avantages et inconvénients évidents quant aux résultats, à la facilité ou à la difficulté de l'exécution, aux chances de succès ou d'échec. Comme nous nous efforçons d'éviter que l'autoformation ne soit égoïste, vous devrez aussi considérer chaque acte du point de vue des autres, pour qui il aura sans doute des conséquences. Quels sont les avantages et les inconvénients pour eux?

Reprenez ensuite, successivement, chacune des possibilités. Placez-vous à un moment donné de l'avenir où vous aurez fait ce choix. Vous avez ainsi choisi cette possibilité et avez passé à l'acte.

Imaginez maintenant ce qui se passe. Qui est touché? Que se passe-t-il? Que fais-je? Que font les autres? Qu'est-ce que je pense? Qu'est-ce que je ressens? Que veux-je faire? (Tout cela, vous l'imaginez dans l'avenir comme le résultat de votre choix.) Qu'en pensent les autres? Qu'éprouvent-ils? Que se proposent-ils de faire?

Imaginez tous les détails possibles. Essayez sérieusement d'éprouver, d'entendre, de sentir, de toucher aussi bien que de voir ce qui se passe.

Cet exercice d'imagination vous aidera à avoir une impression plus nette des aspects de chaque choix. Il rend vivante votre liste des avantages et inconvénients, leur donnant plus de signification, les rendant plus réels.

Cela dit, une nouvelle complication peut apparaître. Il est très probable que les choix à faire continueront d'être une source de conflits. Par exemple,

---

vous pouvez voir que la solution A plaira à certaines personnes et moins à d'autres. La solution B a des conséquences pour différentes personnes. La solution C exige l'approbation ou la sanction de votre employeur. Laquelle choisirez-vous? Vous seul pouvez en décider. C'est à vous finalement de faire le choix difficile. Mais...

o   Vous le faites après avoir soigneusement examiné toutes les possibilités; vous avez vu les conséquences pour tous les intéressés et en avez tenu compte en même temps que de vos désirs; vous prenez donc une décision moralement justifiée.

o   Cela peut vous aider à vous entretenir avec ces gens; après tout, vous pouvez vous être trompé sur les réactions que votre imagination leur a prêtées; en tout cas, s'ils doivent probablement être touchés par votre décision, n'ont-ils pas le droit d'être consultés?

o   Tout bien pesé, peut-être vaudra-t-il mieux, pous vous, informer exactement les autres de ce que vous entendez faire; si c'est quelque chose qui les dérange sérieusement, pouvez-vous penser maintenant à le leur dire d'une façon qui les dérangera le moins?

2.5   Un plan d'autoformation

Pour ces questions de portée étendue, il est recommandé de dresser un plan d'autoformation bien conçu. Un vaste programme de formation suppose toute une série de facteurs (temps, les tiers, finances, autres ressources, etc.), et il est utile d'en être bien conscient pour avoir une vue de tout ce qui est en jeu.

On ne peut évidemment pas s'attendre à ce que l'autoformation suive une voie bien tracée. Nous suggérons néanmoins que vous établissiez un plan portant sur:

o   le but général de votre programme;

o   les buts secondaires;

o   les dates auxquelles vous comptez les avoir atteints;

o   les autres intéressés et la nature de leur intérêt;

o   les autres ressources nécessaires.

Vous devriez aussi discuter de votre plan avec les personnes concernées, en particulier avec votre employeur et, peut-être, votre conjoint et votre famille.

Il est important aussi de bien vous dire que c'est *votre plan* et que vous en êtes responsable. Il ne sert à rien d'attendre que quelqu'un vienne vous faire une «offre de formation». C'est à *vous* de prendre l'initiative et d'agir de votre propre mouvement.

MÉTHODES ET MOYENS À EMPLOYER POUR L'AUTOFORMATION

3

3.1 Choisir les méthodes et les moyens

Les chapitres 4 à 8 exposent brièvement les méthodes, les techniques et les ressources à utiliser pour l'autoformation. Dans chaque cas, l'examen de la méthode porte sur ce qu'elle implique, la façon dont vous pouvez l'appliquer et les résultats et les effets qu'elle aura probablement.

Ce dernier aspect – les résultats ou effets possibles – pose un certain problème. Tout d'abord, les résultats ne sont que possibles; beaucoup dépend de la fermeté de votre engagement et de la somme de travail que vous êtes prêt à fournir.

Vous avez peut-être vu dans les journaux des réclames pour des ouvrages spéciaux ou du matériel qui vous «garantissent le succès du premier coup». Nous sommes au regret de dire que ce n'est pas le cas ici. (Et nous avons idée que ce n'est même pas vraiment exact dans la plupart de ces réclames!)

Non. Comme on l'a dit au chapitre 1, l'autoformation exige que l'on travaille dur. Il y a certes des méthodes, des techniques, des instruments et des ressources qui peuvent être d'une valeur indiscutable. Mais cette valeur ne deviendra réalité que si vous êtes prêt à les mettre en œuvre.

Nous pourrions même aller jusqu'à formuler la règle suivante:

> PLUS JE M'APPLIQUE À FAIRE USAGE DE CES
> MÉTHODES, PLUS J'EN RETIRERAI DE PROFIT

Certains demandent souvent, à propos d'un livre ou d'un cours: «Qu'est-ce que j'en retirerai?» Réponse: «Vous en retirerez autant que vous lui aurez apporté.»

Souvenez-vous aussi que la plupart des méthodes prennent du temps pour produire leurs effets. Rien ne sert de les utiliser une seule fois et de s'attendre ensuite à de bons résultats.

Par exemple, vous ne songeriez pas à acquérir une bonne forme physique en courant une seule fois cinq kilomètres. Mais, si vous vous y préparez peu à peu et courez cinq kilomètres tous les jours, les bienfaits seront très nets. Il en est de même de ces activités. N'en espérez pas trop au début; il n'y a pas de formation instantanée! Commencez progressivement avec une ou deux méthodes et pratiquez-les régulièrement. Par la suite, introduisez-en d'autres dans votre programme.

L'idéal est de pratiquer certaines de ces activités quotidiennement. D'autres, régulièrement mais moins fréquemment, ainsi une fois par semaine ou par mois. Et, il y en a qui ne sont vraiment utiles que dans certains cas précis, lorsqu'il s'est passé quelque chose qui les rend particulièrement opportunes.

Dans le présent chapitre, la figure 13 présente un condensé des méthodes qui donne une indication des avantages les plus probables de chacune en ce qui concerne les qualités et les aptitudes exigées pour l'autoformation. De même, ensuite, pour les qualités d'un gestionnaire efficace et d'une personne formée.

Vous devriez donc, si possible, essayer d'établir un plan de votre programme d'autoformation dans le cadre ordinaire de l'accomplissement de certaines activités – un petit nombre au début. Il sera particulièrement utile de réserver pour cela un certain moment de la journée ou un certain jour de la semaine pour les activités moins fréquentes (un jour pour l'une, le lendemain pour une autre peut-être).

Ainsi, par quoi commencez-vous? Cela dépendra beaucoup du problème que vous voulez aborder. Si vous avez utilisé un ou plusieurs des procédés permettant de porter un jugement sur soi-même et indiqués au chapitre 2, vous aurez probablement une idée bien claire du problème dont il doit s'agir. La figure 13 sera utile ici.

Ou bien vous préférerez peut-être choisir une méthode simplement parce qu'elle a l'air intéressante. Il n'y a aucun inconvénient à cela, loin de là.

De quelque façon que vous commenciez, souvenez-vous toujours que c'est le temps qui décidera. Ne pas s'attendre à des résultats immédiats!

Dans la figure 13 et dans les chapitres qui vont suivre, on s'est efforcé de présenter les méthodes et les ressources en groupes déterminés.

On commencera par quelques activités de base qui peuvent constituer le fondement de tout votre programme d'autoformation (chapitre 4). Vous verrez, d'après la figure 13, que ces activités, tout en conduisant à certains des résultats généraux de la formation, facilitent aussi l'acquisition des qualités et des aptitudes exigées par la formation.

Le chapitre 5 est consacré aux moyens d'améliorer vos manières de penser logiquement, rationnellement. Le chapitre 6 traite de quelques autres possibilités de former la personnalité, possibilités que vous pouvez utiliser,

Figure 13. Tableau résumé des méthodes d'autoformation

Structure des colonnes (en-têtes, de gauche à droite) :

CARACTÉRISTIQUES D'UNE PERSONNE FORMÉE (ART DE LA GESTION)
- SANTÉ : SANTÉ MENTALE ; SANTÉ AFFECTIVE ; SANTÉ PHYSIQUE
- CAPACITÉS : CAPACITÉS MENTALES ; DONS D'EXPRESSION ET SENS DES RAPPORTS SOCIAUX ; APTITUDES PHYSIQUES
- ACTION : ESPRIT DE DÉCISION ; PERSÉVÉRANCE ; INITIATIVE
- IDENTITÉ : CONNAISSANCE DE SOI ; SENTIMENT DE SOI ; BUT DANS LA VIE

QUALITÉS D'UN GESTIONNAIRE EFFICACE (SCIENCE DE LA GESTION)
- MAÎTRISE DES FAITS ESSENTIELS
- CONNAISSANCES PROFESSIONNELLES
- SENSIBILITÉ AUX ÉVÉNEMENTS
- ESPRIT DE DÉCISION
- SENS DES RAPPORTS SOCIAUX
- RÉSISTANCE ÉMOTIONNELLE
- TEMPÉRAMENT ACTIF
- CRÉATIVITÉ
- ESPRIT AGILE
- ÉQUILIBRE DANS LES MANIÈRES D'APPRENDRE
- CONNAISSANCE DE SOI

MOYENS D'APPRENDRE À SE FORMER EN UTILISANT L'EXPÉRIENCE DU TRAVAIL ET DE LA VIE QUOTIDIENNE

QUALITÉS REQUISES POUR L'AUTOFORMATION
- COURAGE
- OUVERTURE D'ESPRIT
- CONFIANCE
- ESPOIR
- INITIATIVE

APTITUDES REQUISES POUR L'AUTOFORMATION
- CAPACITÉ DE RÉAGIR
- VISION DE L'AVENIR
- VISION DU PASSÉ
- APTITUDE À LA THÉORIE
- DYNAMISME DANS LA PRATIQUE

MÉTHODES ET ACTIVITÉS (avec numéro de chapitre)

№	Méthode / activité	Chapitre
1	JOURNAL PERSONNEL	4
2	EXAMEN RÉTROSPECTIF	4
3	RÉFLÉCHIR SUR LES FAITS	4
4	ÉCOUTER VOTRE ÊTRE INTÉRIEUR ET ÊTRE VOTRE PROPRE CONSEILLER, INTUITION	4
5	COURAGE D'ESSAYER DU NEUF	4
6	FAIRE L'EXPÉRIENCE D'ATTITUDES NOUVELLES	4
7	ACQUÉRIR PLUS DE VOLONTÉ	4
8	GARDER L'ESPRIT OUVERT	4
9	ÊTRE EN CONTACT AVEC VOTRE MOI SUPÉRIEUR ET VOTRE MOI INFÉRIEUR	4
10	LIRE	5
11	PRENDRE DES NOTES	5
12	GRILLE-RÉPERTOIRE	5
13	PROCÉDÉS DE MÉMORISATION	5
14	AMÉLIORER VOTRE CAPACITÉ DE PENSER LOGIQUEMENT	5
15	COURS (Y COMPRIS COURS PAR CORRESPONDANCE)	6
16	INSTRUMENTS DIDACTIQUES ET OUVRAGES PROGRAMMÉS	6
17	PROJETS SPÉCIAUX	6
18	AFFILIATION À DES ASSOCIATIONS OU À DES ORGANISMES PROFESSIONNELS	6
19	COLLABORATION À DES PÉRIODIQUES	6
20	ENSEIGNEMENT ET TRAVAIL DE FORMATION	6
21	TRAVAILLER À LA FORME PHYSIQUE, À LA RELAXATION ET À LA MÉDITATION	7
22	S'ACCOMMODER DE SA TAILLE ET DE SON APPARENCE PHYSIQUE	7
23	TRAVAILLER AVEC DES GENS DIFFÉRENTS DE SOI	7
24	TRAVAILLER SELON SON TEMPÉRAMENT	7
25	TRAVAILLER SELON SON STYLE DE GESTION	7
26	TRAVAILLER AVEC UN INTERLOCUTEUR	8
27	TRAVAILLER EN GROUPE	8

tandis que le chapitre 7 se concentre sur la forme physique et certains aspects de la connaissance de soi. Enfin, le chapitre 8 traite d'un autre aspect important, à savoir la capacité de travailler à votre autoformation en collaborant avec les tiers.

Nous devrions peut-être souligner que nous ne vous disons pas d'essayer toutes ces activités et méthodes. Non seulement ce serait impossible, mais votre formation deviendrait une charge excessive pour vous! Vous souffririez alors de tension ou de dépression nerveuse.

Nous présentons un grand nombre de méthodes; aussi avez-vous le choix. Il y a beaucoup de choses entre lesquelles choisir lorsque vous planifiez votre programme de formation, et vous les choisirez selon le jugement que vous portez sur vous-même ou en retenant celles qui, simplement, semblent vous plaire. Comme l'autoformation est un processus continu qui dure toute la vie, les activités que vous ne choisirez pas seront toujours là, plus tard, quand vous en aurez besoin.

QUELQUES MÉTHODES FONDAMENTALES

4

Neuf méthodes fondamentales sont présentées dans ce chapitre. Outre qu'elles produisent divers résultats généraux dans la formation, elles sont particulièrement utiles en ce qu'elles permettent d'acquérir les qualités et les capacités requises pour la formation, ainsi qu'on l'a montré au chapitre 2. Ces méthodes consistent à:

1) tenir un journal;

2) procéder à des examens rétrospectifs;

3) réfléchir sur ce qui se passe;

4) être aux écoutes de votre être intérieur, être votre propre conseiller, avoir de l'intuition;

5) avoir le courage d'essayer du neuf;

6) faire l'expérience d'attitudes nouvelles;

7) acquérir plus de volonté;

8) garder l'esprit ouvert;

9) être en contact avec votre moi supérieur et votre moi inférieur.

4.1   Méthode 1: Tenir un journal

Il peut être réellement utile de tenir son journal ou journal de l'autoformation. Vous pouvez l'utiliser de diverses manières. Par exemple, vous pouvez:

o   tenir un journal des principaux événements de la journée, notamment ceux qui concernent votre autoformation;

o   noter les réponses faites aux questionnaires d'auto-analyse (comme ceux qui figurent dans les annexes) et/ou les appréciations faites à ce sujet;

o   y faire les exercices écrits indiqués dans le présent chapitre;

o   consigner toutes pensées qui vous viennent subitement;

---

o   copier de brefs passages de livres ou de journaux, des poèmes, des esquisses;

o   l'utiliser pour votre journal mineur (voir section 4.3).

Quant à la façon dont vous vous organiserez pour cela, elle ne relève que de vous. Vous pouvez utiliser un carnet quelconque (on en trouve souvent, aujourd'hui, qui sont particulièrement commodes, avec des couvertures très attrayantes). Ou vous préférerez peut-être un système à feuilles mobiles, que vous pouvez diviser en sections; l'une pour ce que vous notez dans le journal, l'autre pour les incidents critiques, une autre encore pour les exercices écrits, etc.

Le seul fait d'écrire dans votre journal vous aidera à suivre de près votre formation, à vous concentrer sur ce qui se passe. De temps à autre, vous pouvez vous relire, rechercher des constantes, des thèmes, des tendances, des progrès.

Très recommandé. Presque indispensable.

4.2   Méthode 2: Procéder à des examens rétrospectifs

C'est le moyen de réfléchir régulièrement à ce que vous avez fait.

Cela s'explique facilement. A la fin de chaque jour, vous revenez en imagination sur tout ce qui s'est passé. Vous le faites en remontant dans le temps. Cela signifie que vous commencez avec ce que vous avez fait en dernier lieu et remontez dans la journée jusqu'à ce que vous arriviez au moment où vous vous êtes réveillé le matin.

Il est important de faire plus que de dresser mentalement la liste de ce que vous avez fait. Essayer de l'imaginer; observez-vous, par l'imagination, en train de faire toutes ces choses. Soyez témoin de ce que vous pensiez, de ce que vous éprouviez, de ce que vous vouliez faire et avez effectivement fait. Revoyez le cadre, les personnes concernées. Entendez ce que les gens disaient, les autres bruits. Sentez la chaleur. Respirez les odeurs. Devenez ainsi conscient de tout ce qui se passait et de la façon dont les divers éléments influaient les uns sur les autres.

Bien qu'elle paraisse assez simple, cette activité est d'une difficulté surprenante car il est très facile de laisser votre esprit errer sur quelque chose d'autre. C'est aussi un assez bon moyen de s'endormir très vite! Aussi est-il préférable de le faire assis, avant de vous mettre au lit.

Si vous faites cet exercice régulièrement, vous verrez non seulement qu'il vous permet de voir en vous-même, comment vous vous comportez et pourquoi, mais encore qu'il vous aide à développer votre pouvoir de penser logiquement. En vous obligeant à aller en quelque sorte «en remontant le fil» des événements, vous affinerez vos capacités intellectuelles; cela vous aidera aussi à améliorer votre mémoire.

Cette régularité a encore un autre avantage. Il est à peu près sûr que vous constaterez que, pour procéder ainsi, il faut une forte discipline, un grand effort. La pratique de cette discipline sur vous-même facilitera aussi le développement de votre volonté (voir aussi la méthode 7).

4.3   Méthode 3: Réfléchir sur ce qui se passe

Vous vous souviendrez qu'au chapitre 1 nous avons discuté du cycle de la formation, c'est-à-dire du processus par lequel nos expériences prennent un sens et, par suite, nous apprenons et nous nous formons (figure 3).

Une des étapes de ce processus consiste à penser à ce qui a été vécu, à réfléchir à ce qui s'est passé. La présente section traitera de deux techniques qui facilitent cette réflexion.

Le journal des faits marquants

A certains égards, ce journal est semblable au registre des incidents critiques, un des moyens utilisés pour porter un jugement sur soi-même et examinés dans les annexes. Mais, au lieu de relever des choses bien précises, importantes, qui vous sont arrivées une fois dans le passé, la tenue de ce journal est quelque chose de plus continu, constant, son but étant de vous aider à apprendre en considérant l'enchaînement des expériences.

Il y a plusieurs sortes de journaux de ce genre. Par exemple, vous pouvez vous attacher aux questions suivantes:

o   les principaux faits survenus pendant la journée;

o   les conflits: enregistrer les incidents et les expériences qui vous ont opposé à quelqu'un ou à quelque chose;

o   les réussites: enregistrer les incidents et les expériences dont vous avez le sentiment qu'ils ont été des succès;

o   les échecs: cette fois, vous enregistrerez les expériences qui ont échoué;

o   les décisions: vous enregistrerez les décisions importantes que vous prenez;

o   les choses agréables: vous vous attachez aux choses agréables qu'on vous dit, qu'on vous fait ou qu'on fait pour vous;

o   la volonté: indiquez quand vous avez et n'avez pas fait preuve de volonté (voir aussi la méthode 7);

o   l'ouverture d'esprit: indiquez quand vous avez eu l'esprit ouvert et aussi l'esprit fermé, prévenu (voir aussi la méthode 8);

o   les sentiments: noter tous sentiments que vous éprouvez vivement.

Quelques questions que vous reteniez, essayer d'en chercher les points essentiels en notant:

o   ce qui s'est passé;

o   ce que vous avez pensé;

o   ce que vous avez ressenti;

o   ce que vous avez voulu faire et fait;

o   qui d'autre était en cause;

o   ce que vous estimez qu'ils ont pensé, éprouvé, voulu faire et fait.

Après avoir tenu ce journal pendant quelque temps, relisez ce que vous avez écrit et voyez s'il s'en dégage des constantes ou des idées quelconques. Pouvez-vous apprendre quelque chose de ce qu'ont fait les autres personnes en cause?

Vous pouvez, si vous le voulez, inclure ce journal mineur dans votre journal personnel (méthode 1). Mais, comme vous noterez probablement dans celui-ci, un grand nombre de choses touchant toute une gamme de questions, il peut être préférable de tenir votre journal mineur, qui est spécialisé, dans un carnet séparé, encore que vous puissiez combiner les deux en commençant le mineur à la dernière page du journal personnel en retournant le carnet de bas en haut.

Ecrire une histoire

Cette méthode combine la description détaillée et un travail d'imagination. Vous pouvez l'utiliser soit après avoir revu le passé en imagination, soit l'aborder directement.

Ici encore, vous pouvez vous limiter à une expérience ou à un événement déterminé. Mais, cette fois-ci, vous traitez le sujet comme si vous écriviez une histoire ou un roman.

Vous parlez de tous les personnages, y compris vous, à la troisième personne. Ainsi, au lieu d'écrire: «Je ressentis très vivement la chose.», vous écrirez: «Tom ressentit très vivement la chose.»

De même avec tous les autres personnages. Ayant décrit ce qu'ils pensaient, sentaient et voulaient faire, vous vous rendrez probablement compte qu'en fait vous ne le savez pas; le mieux que vous puissiez faire c'est de deviner d'après des incides.

Après coup, naturellement, vous pouvez aller vérifier avec eux comment ils ont réagi en fait.

Ainsi, il vous sera plus facile de vous regarder vous-même objectivement, d'une manière dont il faut espérer qu'elle vous permettra de prendre conscience de vos pensées, de vos sentiments et de vos intuitions tout en restant maître de vous, bien équilibré.

4.4 Méthode 4: Etre aux écoutes de votre être intérieur et être votre propre conseiller; avoir de l'intuition

Outre nos pensées et idées conscientes, c'est-à-dire celles dont nous nous rendons compte, nous avons tous un subconscient. Celui-ci est riche d'idées et de connaissances excellentes, de conseils sur ce qu'il faut faire et ne pas faire et est plein de renseignements qu'il nous envoie.

Malheureusement, à cause de sa nature même (subconscient signifie que nous ne nous en rendons normalement pas compte), nous ne percevons pas d'ordinaire ce courant d'informations. Bien que nous ayons tous une «voix intérieure» qui essaie de nous aider, nous ne l'écoutons pas.

Les sept techniques décrites dans la présente section visent à nous aider à entendre notre «voix intérieure» tutélaire. Quand ces techniques seraient-elles particulièrement utiles? A peu près tout le temps mais surtout:

o quand vous êtes en face d'une décision difficile à prendre;

o quand vous avez à faire un choix pénible entre diverses possibilités;

o quand tout semble aller mal, votre vie est un gâchis et vous ne savez pas de quel côté vous tourner;

o quand vous êtes sur le point de dire ou de faire quelque chose dont les conséquences peuvent être très sérieuses (en bien ou en mal) pour vous-même et/ou d'autres personnes. Dans ce cas, votre voix intérieure est peut-être capable de vous dire si c'est ou non la chose à faire; ou elle peut vous aider à voir qu'il y a en fait une meilleure manière de le faire;

o quand vous avez peur ou êtes préoccupé, vous pouvez faire appel à votre être intérieur pour qu'il vous donne du courage (voir aussi la méthode 5).

Les sept techniques sont les suivantes:

o laisser courir le problème;

o avoir un calepin sur vous;

o vérifier vos motifs;

o être aux écoutes de vos pensées, de vos sentiments et de vos intentions;

o vous entretenir avec vous-même;

o prier;

o faire des pauses et avoir des moments de silence.

Il convient d'insister ici sur un fait important: n'oubliez pas que nous avons tous un moi supérieur et un moi inférieur. Faites bien attention de noter lequel des deux vous entendez! (Voir aussi, pour plus de détails, la méthode 9.)

a)   Laisser courir le problème

Cette technique est particulièrement utile lorsqu'on se trouve en face de problèmes qu'on pourrait qualifier de «créateurs». C'est le cas lorsque vous essayez de trouver de nouveaux moyens de faire quelque chose, que vous cherchez la bonne manière d'expliquer quelque chose ou que vous êtes à la recherche d'idées nouvelles.

Souvent, lorsque nous travaillons à un problème de ce genre, nous le tournons et le retournons dans notre tête jusqu'à ce que nous finissions par n'être plus capables de penser. Nous avons l'esprit confus, nous nous sentons frustrés, inquiets, ayant peut-être mal à la tête ou au dos ou manifestant quelque symptôme physique. Dans cet état, la dernière chose dont nous soyons capables c'est d'arriver à quelque chose de créateur. La chose à faire, alors, c'est de laisser courir le problème, de l'oublier.

C'est peut-être plus facile à dire qu'à faire. Mais, si vous pensez à autre chose, vous serez probablement capable d'oublier le problème pendant un certain temps. Entreprenez donc un travail entièrement différent ou allez vous promener; faites visite à un ami; travaillez au jardin; faites ou regardez une partie de football, allez nager ou exercer quelque autre activité physique; jouez aux cartes, aux échecs ou à quelque autre jeu courant dans votre pays; ou travaillez à un hobby.

Si vous écartez le problème de votre esprit, non seulement vous vous sentirez détendu (voir aussi la méthode 21), mais encore, ce qui est plus important dans le cadre de la présente section, votre conscient sera apaisé de sorte que votre subconscient, ou voix intérieure, pourra se faire entendre. Souvent, et cela est surprenant, pendant que vous faites quelque chose de différent ou que vous vous détendez, une idée vous vient subitement dans un éclair: vous voyez tout à coup ce que vous devez faire, ou comment résoudre le problème, ou simplement ce qui est nécessaire."

b)   Avoir un calepin sur vous

C'est à plusieurs égards la suite de la technique précédente. Si c'est souvent de façon tout à fait inattendue que vous viennent à l'esprit les bonnes idées, les solutions, ce que vous avez fait ou que vous vous rappelez devoir faire, les questions auxquelles vous cherchez une réponse, il est bon que vous ayez la possibilité de le noter.

Un petit calepin ou un bloc-notes est des plus utiles pour cela. Si vous l'emportez avec vous partout où vous le pouvez, vous serez en mesure de noter, rapidement et simplement, toutes les idées, etc. qui vous viendront ainsi subitement.

c) Vérifier vos motifs

Cette technique est utile lorsqu'il s'agit de prendre une décision, de choisir parmi plusieurs possibilités ou, simplement, avant d'accomplir un acte important. Elle vous mène à vous demander: «Pourquoi fais-je cela?» ou bien: «Qu'est-ce que j'essaie vraiment de faire?»

Supposez par exemple que vous vous préparez à parler à un subordonné qui fait quelque chose tout de travers; vous allez réagir négativement à son égard. Avant de le faire, demandez-vous: «Pourquoi le fais-je?» Vos raisons peuvent être diverses. L'une d'elles, positive, serait que vous voulez venir en aide à cette personne pour qu'elle fasse mieux la prochaine fois. Mais, trop souvent, nous nous rendons compte que nous le faisons pour punir ou pour nous venger de quelque chose que quelqu'un d'autre nous a fait («vous pouvez être sûr que je me rattraperai sur celui qui vient après moi dans la hiérarchie») ou pour esquiver un autre problème. C'est ce qui se passe lorsque votre moi inférieur domine.

Vous pouvez persister, naturellement, et punir, vous venger, soulager votre colère, votre frustration ou tout autre sentiment. Mais, au moins, vous saurez maintenant ce que vous faites; vous le ferez consciemment. D'autre part, il se peut que votre moi supérieur entre en jeu et vous modifierez alors votre façon d'aborder la tâche qui se présente.

Il en va de même lorsque vous êtes en face d'une décision difficile à prendre ou êtes placé devant un choix pénible. Si vous vous demandez: «Qu'ai-je à voir avec cela?» ou «Qu'est-ce que j'essaie vraiment de faire?», vous vous rendrez plus facilement compte de vos motifs, ce qui peut vous amener à voir la situation sous un angle tout différent.

d) Etre aux écoutes de vos pensées, de vos sentiments et de vos intentions

Cela consiste en réalité à vérifier vos motifs de façon plus approfondie. Il s'agit de vous poser les questions figurant dans le tableau 3.

e) Vous entretenir avec vous-même

Bien que considéré souvent comme un signe de folie, parler à soi-même peut être, en fait, un bon moyen d'entrer en contact avec votre voix intérieure.

Vous avez, en réalité, à être votre propre interlocuteur (méthode 26). Cela vous oblige à jouer deux rôles: celui de votre moi normal (votre conscient) et celui de votre voix intérieure (votre subconscient).

Votre moi normal commence par exposer le problème, la question ou la situation qui se présentent à vous. Votre voix intérieure écoute puis répond,

Tableau 3. Etre aux écoutes de vous-même

ATTITUDE	● Comment suis-je assis? Est-ce que je suis affaissé ou que je me tiens droit?
	● Suis-je attentif? Ou passé-je mon temps à des frivolités, à regarder autour de moi, à me laisser distraire?
	● Comment est ma respiration? Rapide et légère? Ou profonde et régulière?
PENSÉES, SENTIMENTS ET INTENTIONS	● Qu'est-ce que je pense? Pourquoi? Quels effets ces pensées ont-elles?
	● Quels sentiments est-ce que j'éprouve? Pourquoi? Quels effets ces sentiments ont-ils?
	● Que voudrais-je faire? Quel effet ce désir a-t-il? Que suis-je disposé à faire? Pourquoi?
	● Que ne suis-je pas disposé à faire? Pourquoi?
	● Quels seront les effets de ce que je ferai ou ne ferai pas?
VOIX INTÉRIEURE	● Est-ce que j'écoute ma voix intérieure; ou est-ce que je l'étouffe? Comment? Pourquoi?
	● Combien de voix intérieures puis-je entendre?
	● Ma voix ou mes voix intérieures, que me disent-elles?
	● Et alors? Qu'est-ce que je pense, sens et veux faire d'après ce que ma voix ou mes voix intérieures m'ont dit?

utilisant les mêmes méthodes que celles qui sont indiquées au chapitre 8. Autrement dit, votre voix intérieure vous pose des questions, vous appuie, conteste, etc.

Si vous pouvez surmonter votre embarras du début, il vaut mieux le faire à haute voix.

Certaines personnes trouvent plus facile d'écrire le dialogue plutôt que de parler. Cela a l'avantage de vous fournir un compte rendu de la conversation, mais la plupart des gens trouvent plus facile de parler que d'écrire.

f) Prier

D'où vient votre voix intérieure? Beaucoup de gens disent que ce n'est que le reflet intérieur de ce que vous savez déjà, enfoui dans votre subconscient.

Mais vous pouvez avoir une opinion toute différente si vous avez des convictions religieuses ou spirituelles qui postulent l'existence d'un Dieu. Si c'est votre cas, vous aimerez peut-être mieux voir dans votre voix intérieure le chemin par où vous parviennent les messages de votre Dieu.

Dans ce cas, la prière devient naturellement le moyen d'entrer en contact avec votre voix intérieure. De la sorte, «vous écouter vous-même» devient «écouter ce que votre Dieu vous dit».

g) Faire des pauses et avoir des moments de silence

Trop souvent nous agissons de telle sorte qu'il nous est très difficile, sinon impossible, d'entendre notre voix intérieure, d'où qu'elle vienne, parce que notre vie est remplie de bruits, de distractions, d'activités et d'occupations. Il est donc utile, quelque méthode que nous utilisions pour écouter notre voix intérieure, que nous lui ménagions une place en éliminant au maximum les bruits et les distractions.

Un moyen consiste à marquer un temps d'arrêt avant de faire quoi que ce soit. Un vieux dicton conseille de «compter jusqu'à dix» lorsque vous êtes irrité contre quelqu'un, parce que, ce faisant, vous serez en mesure de vous dominer. Faire une pause avant d'agir est, au fond, la même chose. Pendant la pause − ou un bref silence si c'est au cours d'une conversation ou d'une discussion − tâchez de vous mettre sur votre longueur d'onde, celle de votre voix intérieure. Prêtez l'oreille à vos pensées, à vos sentiments et à vos intentions. Vérifiez vos motifs. Assurez-vous que vous voulez vraiment faire ce que vous avez l'intention de faire et que vous ne cédez pas simplement à une impulsion que vous regretterez plus tard.

Vous trouverez cela très difficile. Nous sommes si habitués à réagir immédiatement, à «y aller tête baissée», qu'il est difficile de se débarrasser de l'habitude. Mais, si vous pouvez apprendre à faire comme on le suggère ici et à vous assurer ainsi que vous faites ce que vous voulez réellement faire, quand vous y êtes réellement prêt, les résultats seront des plus bénéfiques.

Comme une pause avant d'agir («regarder avant de sauter»), un long moment de silence peut donner de très bons résultats.

Si vous pouvez trouver quelques minutes de tranquillité, utilisez-les à vous écouter soit en utilisant l'une ou l'autre des techniques indiquées dans cette section, soit simplement en restant silencieux. Asseyez-vous ou allongez-vous et restez tranquille. Des messages pourront commencer à vous arriver du fond de vous-même – bien qu'ils puissent être déroutants au début et sembler n'avoir aucun rapport avec quoi que ce soit de particulier. Notre subconscient doit souvent commencer par se débarrasser d'une masse de choses.

Le silence ainsi utilisé mène à la méditation, qui sera examinée plus loin (chapitre 7). La méditation sur le silence est particulièrement importante.

4.5   Méthode 5: Avoir le courage d'essayer du neuf

Comme on l'a vu, une des qualités nécessaires à l'autoformation est le courage, sans lequel il est difficile d'aborder des nouveautés et de prendre des initiatives.

Le courage donné par autrui

Il n'est pas toujours facile d'acquérir ce courage. Un moyen consiste à faire part à quelqu'un de vos problèmes et préoccupations en procédant soit à deux (c'est-à-dire avec un interlocuteur, voir méthode 26), soit en groupe (méthode 27).

Inspirer le courage et la détermination peut même être un des principaux effets du travail en groupe. Entendre les autres parler de leurs problèmes et voir comment ils les résolvent peut être une grande source d'inspiration.

Il y a en outre un moyen particulier, utilisable à deux ou en groupe, propre à donner le courage et la résolution de faire quelque chose. Il consiste, pour chaque membre, à dire publiquement (c'est-à-dire au reste du groupe) ce qu'il va faire ou essayer avant la réunion suivante.

Au début de cette réunion suivante, chacun de vous raconte ce qu'il a fait.

Vous constaterez peut-être qu'entre les deux réunions, savoir que vous allez faire rapport, rendre compte de ce qui vous concerne est un sérieux stimulant! «Je n'ose pas y retourner et admettre que je n'ai rien fait.» Par ailleurs, savoir que votre groupe (ou votre partenaire) est avec vous mentalement sinon physiquement quant vous faites quoi que ce soit peut aussi vous soutenir et vous aider à surmonter votre crainte ou votre résistance.

Envisager le pire

Un autre moyen d'acquérir du courage est d'envisager ce qui pourrait résulter de pire de votre action.

Supposons que vous voulez faire quelque chose, mais que cela paraît risqué; vous éprouvez certaines craintes. Que craignez-vous? Ce peut être la crainte:

o   de paraître stupide;

o   de vous rendre ridicule;

o   de provoquer une querelle;

o   de perdre un ami;

o   de détruire du matériel;

o   de perdre le fruit d'un dur travail accompli.

Mais souvent, ces craintes et d'autres semblables sont dissimulées dans notre esprit sans qu'elles soient bien fondées. Il peut donc être très utile de les examiner plus en détail.

Prenez quoi que ce soit que vous voulez faire ou changer. Imaginez ensuite que vous passez aux actes et réussissez. Les choses vont très bien. Essayez de noter ce que vous pensez, sentez et voulez faire. Et aussi, qui d'autre est en cause? Qu'est-ce que ces gens pensent, sentent et veulent devant votre succès?

Cela fait, reprenez l'exercice, mais cette fois imaginez que tout a mal tourné. Vos pires craintes se sont réalisées! Qu'est-ce que cela, que se passe-t-il, qu'est-ce que vous et tout le monde pensez, sentez et voulez?

Il se peut que vos craintes se trouvent renforcées de ce fait. Vous décidez de ne rien faire. Mais, au moins, c'est maintenant une décision prise en connaissance de cause, à la suite d'un examen attentif de la question plutôt qu'en raison d'une vague crainte subconsciente à moitié précisée.

D'autre part, il y a de bonnes chances pour que cet examen vous montre que le pire qui puisse arriver – bien qu'il ne soit pas très agréable – n'est pas si terrible après tout. Ce n'est guère la fin du monde! Dans ce cas, il se peut que vous trouviez le courage et la volonté d'agir.

L'inspiration tirée des symboles du courage

Nombre de gens puisent leur courage dans quelque symbole qui représente quelque chose de précis pour eux.

Par exemple, certains tirent leur courage de symboles liés à leurs convictions religieuses. Ce peut être des symboles proprement dits (par exemple la croix, le croissant) ou quelque chose de plus, un dieu particulier, un saint ou une personne sacrée.

D'autres trouvent cette inspiration en pensant à des héros populaires appartenant à des traditions anciennes et à des mythes ou à l'histoire plus récente. On peut aussi mentionner les martyrs d'une religion ou d'une doctrine politique.

Enfin, vous pouvez toujours vous référer à votre moi intérieur, ou plus particulièrement à votre moi supérieur (méthode 9). «Allons, Tom, ressaisis-toi et vas-y.» peut se révéler un ordre énergique adressé à soi-même!

Il y a aussi quelques exercices pouvant vous aider à développer votre volonté et à agir aussi sur votre courage et votre détermination (méthode 7).

4.6   Méthode 6: Faire l'expérience d'attitudes nouvelles

Un bon moyen de se former est de se lancer, tout à fait consciemment, dans de nouvelles manières de procéder.

Nous pourrions même dire que la formation impliquant par définition le changement, vous ne vous formerez pas si vous n'êtes pas prêt à essayer des nouveautés.

La plupart des changements ou nouvelles façons d'agir que vous voudrez essayer seront le résultat d'autres activités de la formation. Par exemple, les méthodes permettant de porter un jugement sur soi-même, examinées au chapitre 2, vous amèneront probablement à vouloir changer certains aspects de votre comportement et à essayer de nouvelles façons de faire les choses.

On peut en dire autant de beaucoup des autres activités. La lecture de votre journal personnel (méthode 1) peut vous montrer divers modes d'agir et d'habitudes que vous souhaiteriez changer; les examens rétrospectifs (méthode 2) peuvent avoir ici le même effet. Ce que vous retirez de votre interlocuteur (méthode 26) peut vous renseigner sur quelque chose que vous voudriez faire différemment. Et ainsi de suite.

Vous pouvez aussi trouver des idées pour agir d'une nouvelle manière en restant ouvert aux idées des autres (méthode 8).

Mais il ne suffit pas simplement de savoir ce que vous voulez changer ou faire différemment. Il vous faut aussi la volonté de le faire et un certain courage.

Nous avons déjà examiné certaines manières de chercher à développer le courage (méthode 5). Nous verrons plus loin les moyens de chercher à rendre votre volonté plus forte (méthode 7). Dans une certaine mesure, cependant, vous pouvez agir tout à la fois sur le courage, la volonté et la capacité d'essayer des nouveautés. Cela signifie procéder à des changements qui, en eux-mêmes, ne paraissent pas particulièrement significatifs.

Par exemple, vous pouvez:

o changer la façon de vous habiller ou certains vêtements. Si vous avez l'habitude d'être impeccablement mis, commencez à l'être moins, ou inversement;

o essayer de consommer des aliments d'un genre complètement différent, de préférence des choses que vous n'avez encore jamais mangé;

o faire la liste de quelques situations que vous chercheriez normalement à éviter et vous placer délibérément dans l'une d'elles;

o changer le moyen que vous utilisez pour vous rendre au travail (par exemple, par les transports publics au lieu de la voiture; à pied au lieu des transports publics);

o lire des livres, écouter des émissions radiophoniques, regarder des spectacles télévisés d'un genre tout différent de ceux dont vous avez l'habitude;

o parler chaque jour à une personne qui vous est totalement étrangère.

Dans votre journal (méthode 1), vous pouvez vous concentrer sur le *changement*. Chaque jour, vous consigner au moins une chose que vous avez faite différemment. Dans chaque cas, vous vous demandez naturellement ce que vous avez pensé et senti, ce que vous avez eu l'intention de faire et ce que vous avez fait en réalité.

De cette façon, vous découvrirez peu à peu que vous acquérez la capacité de procéder à des changements, de sorte qu'il vous sera plus facile de procéder aux changements plus importants qui font partie de votre programme d'autoformation.

4.7 Méthode 7: Acquérir plus de volonté

L'autoformation non seulement exige une forte volonté mais encore elle la renforce. La volonté devient plus forte par l'usage qu'on en fait. Ainsi, comme pour la poule et l'œuf, qui vient en premier?

Soyez au clair sur la force de votre volonté

Réfléchissez à votre volonté. Quand est-elle forte? Quand est-elle faible? Des constantes apparaissent-elles? D'autres personnes agissent-elles sur elle? Et, dans l'affirmative, qui? Dépend-elle des moments de la journée? De la tension du travail? De la fatigue? De quoi?

Vous pouvez aller plus avant dans cette connaissance si, dans votre journal, vous marquez les circonstances où votre volonté est forte et où elle est faible.

Figure 14. Cycle du développement de la volonté

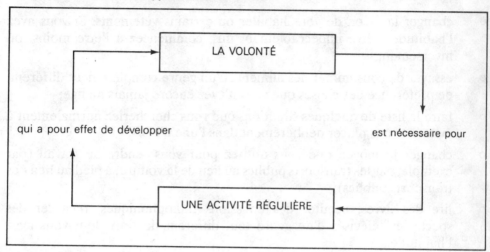

Si les constantes et les caractéristiques de votre volonté ont de la peine à se dégager, vous pouvez utiliser la technique de la grille-répertoire (méthode 12) pour procéder à une analyse plus systématique. Vous choisirez les occasions où votre volonté est forte et celles où elle est faible comme critères d'analyse.

Le développement de la volonté par les activités examinées dans ce livre

Certains des exercices figurant dans ce livre – ceux qui comportent une activité régulière – demandent beaucoup de volonté. Faire quoi que ce soit selon un programme bien établi demande un effort de la volonté.

Réciproquement, si vous réussissez à vous tenir à ces activités régulières, vous accroîtrez votre force de volonté. C'est un cercle positif, comme le montre la figure 14.

Bien que la plupart des activités dont traite ce livre puissent être exercées régulièrement, cela s'applique à certaines plus qu'à d'autres. S'y prêtent notamment les examens rétrospectifs (méthode 2), la réflexion sur ce qui se passe (méthode 3) et la méditation (méthode 21).

Autres activités qui rendent la volonté plus forte

Vous pouvez aussi essayer d'autres moyens d'acquérir plus de volonté. Ils sont très simples et font d'ordinaire partie de votre vie quotidienne. Certains demandent un effort de volonté. D'autres ne requièrent aucun effort par eux-mêmes – votre volonté intervient chaque jour quand vous essayez de les utiliser.

Voici quelques exemples de la première catégorie, c'est-à-dire des moyens qui demandent avant tout une grande force de volonté:

o   vous abstenir de dire quelque chose que vous êtes tenté de dire;

o   renvoyer à plus tard quelque chose que vous voulez faire immédiatement;

o   faire immédiatement quelque chose que vous voulez renvoyer à plus tard;

o   procéder à un des changements indiqués dans la méthode 6;

o   faire quelque chose qui vous fait peur (voir aussi la méthode 5 à propos du courage).

En ce qui concerne l'autre catégorie de moyens pour lesquels la volonté se manifeste dans leur emploi quotidien, elle comprend les diverses activités «ordinaires» dont parle ce livre et consistant à faire quelque chose d'apparemment insignifiant pour autant que vous le fassiez chaque jour à la même heure.

On peut citer comme exemples:

o   faire une petite promenade;

o   faire tourner une bague autour de votre doigt;

o   prendre quelque chose dans une poche pour le mettre dans une autre;

o   garder le silence pendant cinq minutes (peut-être pour écouter votre moi; voir la méthode 4).

Ces moyens sont naturellement structurés, ou quelque peu artificiels ou inventés. Il vous est toujours possible d'être à l'affût d'occasions d'exercer votre volonté. Par exemple, quand vous voulez faire quelque chose mais trouvez que cela vous ennuie. Ou, au contraire, quand vous ne le voulez pas mais ne pouvez guère vous empêcher de le faire. Ce sont là d'excellentes occasions de mettre votre volonté à l'épreuve et, par suite, de la rendre plus forte.

4.8   Méthode 8: Garder l'esprit ouvert

Cette méthode est assez semblable à celle qui concerne la volonté en ce qu'elle est à la fois un résultat et une exigence de l'autoformation. Ici encore, plus vous la pratiquez, plus elle se développe.

La vie courante est pleine d'occasions de faire preuve d'ouverture d'esprit. Fondamentalement, il s'agit d'aborder chaque situation, d'écouter chacun sans prévention ni préjugé. Cela est plus facile à dire qu'à faire, bien entendu.

Avez-vous l'esprit ouvert ou fermé?

Il pourrait vous être utile de commencer par vous rendre compte un peu mieux du degré d'ouverture de votre esprit. Pour cela, essayez de vous rappeler un certain nombre de situations où vous avez été mis en face de quelque chose à quoi vous étiez totalement opposé. Cela vous a souvent amené à écouter une personne dont vous ne partagiez pas les opinions et les avis, et à causer avec elle. D'autres exemples pourraient concerner la lecture (livres, revues, journaux), des émissions radiophoniques ou télévisées – en particulier sur des sujets de politique.

Si vous n'avez gardé aucun souvenir de ce genre, commencez par noter dans votre journal, pendant une ou deux semaines, les situations de ce genre qui se sont présentées. Vous pouvez aussi vous rappeler ou consigner les dates où vous avez entendu dire quelque chose que vous approuviez sans réserve. Voir vos théories et préjugés favoris confirmés est un autre exemple d'esprit fermé. Etre facilement influencé par quelqu'un d'autre sans avoir bien réfléchi dénote un esprit exagérément ouvert.

Ayant recueilli ou vous étant remémoré un certain nombre de ces incidents, revoyez-les. Cherchez les constantes ou thèmes qui peuvent s'en dégager. Quand avez-vous l'esprit relativement ouvert? Quand votre esprit est-il fermé? Y a-t-il chaque fois un tiers en cause? Qui? Pourquoi?

Ces thèmes et constantes apparaîtront assez facilement. Si vous voulez procéder à une analyse plus systématique, la grille-répertoire (méthode 12) conviendra très bien si vous utilisez la formule «cas où j'ai été en complet désaccord ou en complet accord» comme exemples figurant en haut du graphique de la grille-répertoire (figure 18 (chapitre 5)).

Quelles sortes de caractéristiques d'un esprit fermé peuvent apparaître? Cela dépend évidemment beaucoup de vous, mais ce peut être:

o quand vous n'aimez pas la personne en cause ou pensez qu'elle est stupide;

o quand vous aimez beaucoup la personne ou la jugez intelligente ou expérimentée (esprit trop ouvert ou crédulité);

o quand vos convictions foncières sont contestées;

o quand vous avez été si souvent en désaccord avec la personne et que vous supposez qu'elle dit encore une fois des bêtises;

o quand il semble résulter des propos tenus que ce à quoi vous avez travaillé dur n'a plus d'utilité ou de valeur;

o quand ce que l'on propose pourrait vous causer beaucoup de difficultés administratives avec votre chef;

o quand il semble que cela entraînera pour vous un grand surcroît de travail ou un risque inacceptable;

o quand cela vous donne le sentiment d'être inutile, de trop; cela déprécie votre personne, vos idées, votre rôle;

o   quand cela vous fait perdre la face ou revenir sur des idées ou des convictions précédemment émises;

o   parce que tout simplement l'idée que quelqu'un d'autre puisse avoir raison et vous tort ne vous plaît pas;

o   quand cela confirme vos idées et implique une critique de ceux avec qui vous êtes en désaccord (esprit trop ouvert ou crédulité);

o   quand cela semble offrir une solution agréable, simple et sûre (esprit trop ouvert ou crédulité).

Un exercice qui développe l'ouverture d'esprit

Un exercice spécialement conçu pour développer l'ouverture d'esprit pourrait être appelé «se faire l'avocat du diable». Il s'agit simplement de choisir une question sur laquelle vous avez des idées bien arrêtées et d'imaginer que vous devez exposer «le point de vue de l'opposition».

En d'autres termes, vous devez trouver autant d'arguments possibles en faveur de l'opinion contraire et contester la vôtre. Pour cela, il faudra aussi avoir une grande force de volonté.

Le seul fait d'avoir à trouver ces arguments vous aidera probablement à avoir l'esprit plus ouvert, à considérer plus d'un point de vue. Vous pouvez, si vous le voulez, aller plus loin et écrire un mémoire faisant l'éloge de la thèse adverse aussi bien que de la vôtre.

Ce peut être aussi un bon exercice à faire avec un partenaire. La solution idéale serait de choisir quelqu'un qui n'est pas d'accord avec vous ou trouver un sujet sur lequel vous êtes en désaccord avec lui. Chacun prépare le dossier pour la partie adverse et en discute avec elle. Cela revient, pour vous, à soutenir des opinions qui, en fait, ne sont pas les vôtres.

L'ouverture d'esprit dans la vie quotidienne

La vie quotidienne nous offre de nombreuses occasions de faire preuve d'ouverture d'esprit. Tout d'abord, placé dans ces circonstances où vous pouvez prévoir un désaccord, demandez-vous: «Ai-je l'esprit ouvert ou fermé en ce moment? Avez quels préjugés ou opinions préconçus est-ce que j'aborde la situation?»

Ensuite, en écoutant quelqu'un qui pense autrement que vous, efforcez-vous de voir la situation de son point de vue. Il se peut qu'à votre avis il dise des choses parfaitement absurdes pour vous mais qui sont tout à fait sensées à ses yeux. Essayez donc de comprendre pourquoi il pense ainsi, ce que cela signifie pour lui.

Vous pouvez aussi vous adresser des questions. Quand vous êtes en désaccord avec quelqu'un, demandez-vous «pourquoi?», «comment sais-je que cela ne donnera rien?», «ne suis-je pas influencé par la façon dont je réagis à la personne et non à son opinion?».

Les caractéristiques d'un esprit fermé signalées plus haut peuvent servir de base à cet interrogatoire intérieur. Souvenez-vous aussi de vous garder de la crédulité et d'un esprit exagérément ouvert.

Un autre moyen d'éviter de vous montrer négatif, fermé ou même hostile envers un tiers consiste à utiliser votre imagination. Imaginez que ces sentiments négatifs se détachent de vous, volent vers l'autre comme des flèches et le blessent.

Est-ce cela que vous voulez? Certes, vous pensez que cette personne est sotte ou paresseuse, ou bien vous ne l'aimez pas pour une raison quelconque. Mais cela signifie-t-il que vous iriez jusqu'à lui infliger des blessures? Probablement non. On peut ne pas aimer quelqu'un ou n'être pas d'accord avec lui, mais lui faire des blessures est une autre affaire. Et puis vous pourriez découvrir que les «flèches de la pensée négative» fonctionnent un peu comme un boomerang et reviennent vous blesser aussi!

Si vous commencez à utiliser votre imagination de cette manière, vous avez de bonnes chances de pouvoir conserver un esprit plus ouvert envers les tiers.

4.9 Méthode 9: Etre en contact avec votre moi supérieur et votre moi inférieur

Nous avons déjà examiné, au chapitre 2, les notions de moi supérieur et de moi inférieur – ou l'ange et la bête, comme nous les avons aussi appelés. Comme ces deux moi – par leur nature même – sont toujours avec nous, agissant sur ce que nous faisons et la manière dont nous le faisons, il peut être extrêmement utile pour l'autoformation de prendre un contact étroit avec eux.

En fait, notre être intérieur présente de nombreux aspects. C'est un peu comme si nous étions formés d'un comité ou d'une équipe dont les membres ne s'entendent pas toujours très bien! Le présent exercice entend vous aider à entrer en rapport avec certains de ses membres.

Nous pourrons donc reconnaître et utiliser notre moi supérieur et reconnaître et dominer notre moi inférieur.

Exercice à faire pour entrer en contact avec le moi supérieur et le moi inférieur

Notez par écrit certaines de vos caractéristiques essentielles, c'est-à-dire votre personnalité, vos bonnes et vos mauvaises qualités, vos habitudes, vos manières d'être. Une liste d'une douzaine de traits suffit au début.

Votre liste comprend probablement des traits positifs aussi bien que des traits négatifs. Vous devriez même viser à ce qu'ils soient en nombre égal.

La liste établie, relisez-la plusieurs fois. Vous ne cherchez pas à l'apprendre ou à la retenir par cœur mais simplement à en retirer une impression générale.

Maintenant relisez-la plusieurs fois; faites que vos bonnes et vos mauvaises qualités vous deviennent familières. Quelles circonstances vos bonnes qualités font-elles apparaître? Les mauvaises?

Vous devez avoir maintenant une bonne connaissance des parties importantes de votre être intérieur. Réfléchissez-y. Qu'en pensez-vous? Que voudriez-vous faire à ce sujet?

Evidemment, vous devez vous féliciter de tout aspect positif. Il se peut que vous connaissiez déjà vos bonnes qualités. Mais l'on est bien souvent très surpris de voir un aspect positif apparaître dans son être intérieur; cependant, trop souvent nous ne sommes pas conscients des meilleurs aspects de notre personnalité.

Soyez donc heureux et décidez de tirer le maximum de vos bonnes qualités en faisant appel à elles et en les utilisant lorsqu'il y a lieu! Cherchez les occasions d'en faire usage au travail et à la maison. Et, quand vous le faites, que ce soit en connaissance de cause.

Qu'en est-il de vos aspects négatifs? Il est important de ne pas vous laisser effrayer par les diverses physionomies de votre «bête». Au surplus, vous ne pouvez pas lutter contre elles; comme nombre de créatures des anciens mythes et légendes, elles aiment la lutte et tirent leur force de l'énergie que vous mettez à les combattre!

Si vous ne pouvez lutter contre la «bête», que pouvez-vous faire? Vous pouvez la dompter ou la transformer. Chaque aspect de votre moi inférieur a aussi ses bons côtés.

Commencez donc par chercher votre bête, ce qu'il y a de négatif en vous, dans la vie quotidienne. Veillez à ne pas lui laisser prendre le dessus sans que vous vous en aperceviez. Sachez qu'elle existe, faites-la entrer dans votre conscient. Domptez-la alors et transformez-la.

Pour transformer la bête, il vous faut essayer de vous arranger avec elle et ne pas la laisser vous dominer. Laissez votre moi supérieur prendre les affaires en main. Quand la brute essaie de vous imposer sa loi, dites-lui d'arrêter. Quand le fainéant commande, dites-lui de se lever et de faire quelque chose. En même temps, tâchez de mettre à profit ses bonnes qualités particulières. Utilisez la force de la brute à des fins positives; utilisez le sens du danger qui domine le lâche pour protéger les autres; si votre fainéant a le sens de l'humour, utilisez-le pour ragaillardir d'autres gens.

En résumé, donc, arrangez-vous avec votre moi inférieur; ne le combattez pas mais allez vers lui, soyez conscient de son existence; reconnaissez-le quand il essaie de prendre la haute main et dominez-le; transformez-le ensuite en accommodant ses bons aspects et en en faisant un bon usage.

Aider les autres à être en contact avec leur moi inférieur

Trop souvent, quand nous voyons en action la «bête» de quelqu'un d'autre (c'est-à-dire son moi inférieur, ses caractéristiques déplaisantes), nous ne réagissons que de façon négative, en attaquant, en critiquant, en évitant.

De fait, il nous est impossible de combattre ou de dompter le moi inférieur des autres. Tout ce que nous pouvons faire, c'est les aider à s'en charger eux-mêmes en leur apportant notre soutien et en leur indiquant clairement que sans aimer ce qu'ils font lorsque c'est cette partie d'eux-mêmes qui les mène, nous n'en aimons pas moins leur personne. C'est le seul moyen de leur permettre de rassembler assez de force intérieure pour agir sur leur «bête».

Cela vaut aussi pour nous-mêmes. Si les autres ne cessent de nous critiquer, de nous faire des remarques désobligeantes, de nous attaquer, nous nous mettrons sur la défensive et serons inquiets. Dans ces cas, nous deviendrons facilement la proie de ce qu'il y a de négatif en nous.

Ainsi donc, bien qu'il soit particulièrement difficile d'être tolérant envers quelqu'un dont la «bête» est déchaînée, c'est précisément alors qu'il est nécessaire de l'être. Sinon, le conflit également préjudiciable à la formation des uns et des autres ne fera que reprendre.

QUELQUES MOYENS D'AMÉLIORER VOTRE MANIÈRE DE PENSER

5

Dans le présent chapitre, nous examinons cinq moyens de travailler à votre manière de penser, à votre mémoire, à votre logique et à votre créativité. Ces méthodes sont:

10) la lecture;

11) la prise de notes;

12) la grille-répertoire;

13) les procédés de mémorisation;

14) la pensée logique.

5.1 Méthode 10: Lire

Chaque gestionnaire est obligé de lire. D'ailleurs, vous ne seriez pas où vous êtes si vous ne saviez pas lire. Et, par définition, vous ne seriez pas en train de lire ce livre! Mais, la plupart d'entre nous peuvent encore beaucoup faire pour améliorer nos capacités en ce domaine.

La présente section va indiquer comment arriver à lire de façon systématique, notamment une méthode qui vous permettra de bien connaître certaines de vos habitudes en la matière. Puis, nous verrons une autre méthode (la lecture méditative) ainsi que la lecture avec un interlocuteur. La méthode 11 présentera ensuite quelques conseils sur la prise de notes.

Commençons donc par la lecture systématique. Elle se fait en quatre étapes: fixer un but, faire un plan, exécuter le plan et récapituler.

1re étape: Les raisons de lire

Ceci peut paraître étrange: nous n'avons pas normalement de but en vue quand nous lisons quelque chose.

En fait, on peut lire quelque chose pour un grand nombre de raisons. Par exemple, vous pouvez lire le présent livre pour l'une ou plusieurs des raisons suivantes:

- o   pour décider de l'acheter ou non;
- o   pour décider de l'emprunter ou non;
- o   pour acquérir des connaissances théoriques sur l'autoformation en vue d'écrire une étude sur le sujet;
- o   pour avoir des idées concrètes sur l'autoformation afin de pouvoir les appliquer;
- o   pour le plaisir.

Il est clair que votre stratégie de lecteur sera très différente selon le but que vous avez. Pour certains d'entre eux, il suffira de parcourir rapidement le livre. D'autres exigent une lecture approfondie. Si vous corrigez des épreuves, il vous faudra lire chaque mot. Pour certains buts (par exemple, «donner l'impression que vous êtes occupé»), vous n'avez pas besoin de lire du tout.

Ainsi donc, quand vous lisez un livre, pensez avant tout à votre but.

2e étape: Un plan de lecture

Votre plan dépendra de votre but. Les questions à vous poser en établissant votre plan sont notamment:

- o   Commencerai-je par le parcourir rapidement (souvent une bonne idée)?
- o   Commencerai-je au début ou sauterai-je d'une partie à l'autre (cela dépend naturellement de votre but mais vous constaterez que, souvent, il vaut mieux lire ainsi en sautant un peu)?
- o   Prendrai-je des notes?
- o   Soulignerai-je certaines phrases dans le livre lui-même (cela abîme d'ordinaire le livre; ne le faites pas, à moins que le livre ne vous appartienne)?
- o   Quand et où lirai-je?

3e étape: Exécution du plan

Elle consiste dans le fait même que vous lisez. Si vous voulez prendre des notes, la méthode 11 vous sera utile.

4e étape: Récapitulation

Après avoir lu pendant un certain temps, posez-vous quelques questions concernant votre lecture, présentées dans le tableau 4.

En comparant cet examen avec votre plan et votre but, vous devez commencer à vous faire une idée des habitudes que vous avez quand vous lisez et que vous pourriez essayer d'améliorer. Par exemple:

Tableau 4. Examen critique des lectures

QUESTIONS	QUELQUES EXEMPLES DE RÉPONSES
1. Combien de temps ai-je lu?	– 5 minutes seulement parce que j'ai été interrompu. – Une heure, après quoi j'ai eu besoin de me détendre les jambes. – 10 minutes, au bout desquelles je me suis rendu compte que j'étais si peu d'accord avec l'auteur que je n'ai pu continuer.

2. Ai-je sauté certaines parties?	– Non. J'ai pris la peine d'aller jusqu'au bout.
	– Oui. J'ai jeté un bref coup d'œil sur le tout pour commencer pour m'en faire rapidement une idée.
	– Oui. J'ai sauté parce que:
	  – je n'y comprenais rien;
	  – je le savais déjà;
	  – cela m'ennuyait;
	  – je n'ai pas trouvé que le texte contenait rien de ce que je voulais y trouver.

3. Suis-je revenu sur certains passages?	– Non; j'ai continué à lire même quand je ne comprenais pas. – J'ai relu parce que j'étais embrouillé. – Arrivé à un certain endroit, j'ai pensé qu'il était en rapport avec un passage précédent, que j'ai donc relu.

4. Ne suis-je jamais arrêté?	– Oui, parce que:
	  – je ne comprenais pas;
	  – j'avais besoin de me reposer;
	  – j'ai rêvassé;
	– j'ai voulu réfléchir à ce que je venais de lire;
	– je voulais trouver le rapport entre un passage et quelque chose que je sais.

5. Quelles sortes de notes ai-je prises?	– Aucune. – Les principaux titres. – Les définitions. – Les graphiques.
6. Pourquoi ai-je pris des notes?	– Je voulais me souvenir. – Je ne sais pas; je suppose que c'est mon habitude. – Je voulais récrire le passage à ma façon afin de le comprendre.

- Quand et pourquoi lisez-vous?

- Que faites-vous quand vous n'êtes pas d'accord avec l'auteur?

- Que faites-vous devant quelque chose que vous n'arrivez pas à comprendre?

- Quel genre de notes prenez-vous? Pourquoi? Quelle utilité ont-elles?

- Combien de temps pouvez-vous lire sans avoir besoin de vous reposer? Cela dépend-il de la nature et du but de votre lecture?

- Y a-t-il des circonstances où il vous est particulièrement facile de lire? Ou difficile?

Lecture méditative

Jusqu'ici, nous avons considéré une méthode de lecture très structurée, systématique. La lecture méditative est quelque chose de différent. Ici, vous ne lisez qu'une toute petite partie d'un chapitre ou d'un article, pas plus de deux ou trois paragraphes, et peut-être une phrase ou deux seulement.

Vous méditez ensuite sur ce que vous avez lu: de temps à autre, pendant les quelques jours qui suivent, vous y réfléchissez, y pensez, en parlez avec quelqu'un.

Pendant tout ce temps, vous vous demandez:

- Qu'est-ce que je pense de cela?

- Quel rapport cela a-t-il avec d'autres choses que je sais; avec d'autres choses auxquelles je pense?

- Quels sont mes sentiments à ce sujet?

- Que veux-je faire de ce que j'ai lu ou parce que je l'ai lu?

- Que suis-je disposé à faire?

- Que ne suis-je pas disposé à faire?

Il est évident qu'avec cette méthode il faut beaucoup de temps pour lire tout un livre! Il est probable d'ailleurs que vous ne le lirez pas en entier mais seulement certaines de ses parties. Cela n'a toutefois pas d'importance: c'est une grande erreur de croire que les livres sont faits pour être lus d'un bout à l'autre. Il vaut beaucoup mieux en choisir quelques passages qui présentent de l'intérêt pour vous à un moment donné et vous concentrer sur eux. Après tout, vous pourrez toujours en lire davantage par la suite.

Lire en compagnie d'un interlocuteur

Lire avec quelqu'un est une méthode plutôt inusitée.

Evidemment, il peut être utile de parler de vos lectures avec d'autres personnes. Mais, cela ne peut se faire qu'après que vous ayez lu. Or, ici, vous discutez avec votre compagnon pendant la lecture.

Qu'est-ce que cela implique? Tout simplement que tous deux (ou tous les trois ou quatre si vous le faites en petit groupe) convenez du passage à lire. L'un de vous lit alors le premier paragraphe, après quoi vous vous arrêtez pour en discuter.

L'autre personne lit le deuxième paragraphe et s'arrête à son tour pour la discussion.

Parfois, naturellement, les paragraphes peuvent être si courts ou si liés entre eux que vous décidez d'en lire deux ou trois d'affilée. Vous faites comme bon vous semble.

Que lire?

Notre ouvrage ne peut donner une liste de lectures à faire qui puissent présenter un intérêt égal pour tous nos lecteurs. Après tout, si les besoins de votre formation sont uniques et si vous établissez vous-même votre programme d'autoformation, vous pouvez aussi savoir exactement ce que vous voulez lire et décider de le faire.

Les gestionnaires sont des gens très occupés et ne peuvent passer trop de temps à lire des livres et autres publications. Le problème est donc de savoir quoi choisir pour faire le meilleur usage du temps limité dont vous disposez.

Vous pouvez vous laisser guider dans une certaine mesure par vos préférences: par exemple, vous pouvez aimer lire ce qu'ont fait des gestionnaires qui ont bien réussi ou ce qui concerne les nouveautés en matière de communication. Même des textes traitant de sujets à première vue tout à fait étrangers à votre domaine d'activité peuvent vous donner d'excellentes idées pratiques!

En second lieu, il y a des sujets sur lesquels vous devez lire parce qu'ils sont importants pour votre organisation ou pour vous personnellement. Aujourd'hui, vous ne trouverez guère de sujet sur lequel on n'a pas abondamment écrit; votre problème est donc de choisir les livres, articles, etc. que vous devez particulièrement lire ou, tout au moins, parcourir.

Vous devez vous faire une règle de consulter régulièrement quelques-uns des meilleurs périodiques s'adressant à des spécialistes et à des hommes d'affaires et traitant de la gestion et de votre domaine d'activité particulier. Il y a ensuite des comptes rendus de livres, des bibliographies et des bulletins d'analyses qui présentent des résumés d'un grand nombre d'articles et de livres venant de paraître.

Vous pouvez demander conseil sur ce qu'il faut lire et assistance quant au choix des livres les plus utiles en vous adressant à un centre local de la gestion (par exemple, si vous participez à un séminaire à cet endroit), à des collègues, à des associés ou à un directeur de la formation (s'il y en a un dans votre organisation).

Il vaut la peine aussi de se tenir au courant des événements survenant sur les plans local, national et international. La lecture des journaux et des revues consacrés à l'actualité peut vous aider en cela. Outre certaines revues internationales, il existe d'excellentes publications consacrées à certaines parties du monde. Et ne commettez pas l'erreur de vous limiter à la lecture de textes spécialisés; n'oubliez pas de lire aussi des ouvrages de culture. Nous pouvons enrichir considérablement notre esprit − et nous procurer aussi plus de plaisir − en lisant des romans, des pièces de théâtre et de la poésie.

5.2 Méthode 11: Prendre des notes

Bien que la question se pose surtout à propos de la lecture, il peut aussi être utile de prendre des notes dans d'autres cas, notamment à des conférences, des réunions publiques, des séances de comité, devant une émission éducative télévisée.

La question principale est: «Pourquoi veux-je prendre des notes?» A l'école et à l'université, la raison en était le plus souvent que vous étiez censés retenir par cœur certains faits pour les répéter aux examens.

Au moment où vous lisez ce livre, vous vous intéressez probablement davantage à comprendre les choses et à les mettre en pratique qu'à les garder dans votre mémoire (si vous vous intéressez particulièrement aux moyens de vous souvenir des choses, voyez la méthode 13).

Dans la présente section, nous allons voir trois moyens de prendre des notes.

Noter tout

Cela veut dire soit copier un livre mot pour mot, soit essayer de noter par écrit, mot pour mot aussi, ce que dit un conférencier ou un orateur.

Ce dernier exercice est en fait impossible à moins que vous n'ayez appris la sténographie.

De toute façon, l'exercice n'a pas de sens. Copier ou noter, tout prend du temps, est ennuyeux et n'est utile que s'il est important pour vous de vous souvenir de quelque chose de précis (de nouveau, voir la méthode 13). Sinon, cette méthode, bien que souvent utilisée, n'est pas à recommander.

Tableau 5. Extrait de notes utiles

S'affirmer:	Amener les gens à se prendre en charge

– Qui suis-je?   Fondé sur une haute
– Qu'est-ce que j'éprouve?   opinion de soi (à la
– Qu'est-ce que je veux?   découverte de son moi?)

S'ouvrir aux autres
Besoin de vérifier auprès des autres

Ne pas
s'affirmer   Passivité
(mais on s'affirme en décidant de ne pas s'affirmer)

S'affirmer mal: Agression (à transformer, ne pas combattre)

Les notes utiles

Ce qu'il faut, c'est un moyen de prendre des notes utiles, qui ont un sens pour vous mais qui n'ont pas nécessairement à être parfaitement compréhensibles pour autrui.

Les notes doivent résumer l'essentiel de la conférence ou du texte. Il est donc important de bien saisir ces points essentiels en écrivant les titres principaux, puis les mots clés. Il n'est pas nécessaire qu'elles soient correctes du point de vue grammatical. De même, comme vous prenez vos notes pour vous, il est souvent utile d'employer des abréviations ou des «codes» que vous comprenez.

Ne vous laissez pas paralyser par le souci d'avoir des notes bien en ordre et précises. Il est souvent plus utile de jeter des mots en divers endroits du papier que d'en faire des paragraphes ordinaires.

Le tableau 5 donne un extrait de quelques notes prises à une conférence sur l'affirmation de soi qui illustrent certains de ces points.

Figure 15. Aranéogramme des notes sur l'affirmation de soi

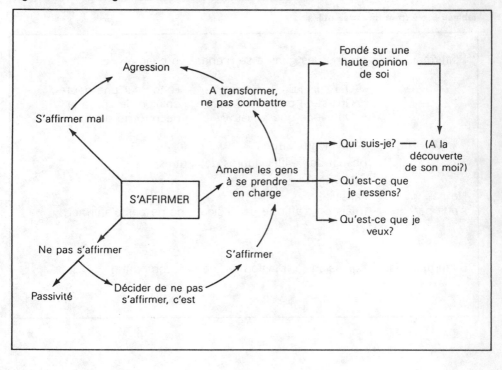

Les aranéogrammes

Vous trouverez à la figure 15 le contenu du tableau 5 traduit en aranéogramme. Elle montre ce contenu sous forme de graphique, où les notes ayant un rapport entre elles sont reliées par des lignes. Comme vous pouvez le voir, le résultat est un réseau où des lignes partent du centre et des transversales relient les divers éléments. D'où son nom d'«aranéogramme» parce qu'il ressemble à une toile d'araignée.

Bien qu'un aranéogramme puisse paraître un peu confus à première vue, il fournit un moyen des plus utiles de prendre des notes et de résumer des idées. Il peut faire apparaître des liens – les rapports des idées entre elles – là où des notes ordinaires ne le peuvent pas.

L'aranéogramme, en outre, utilise un minimum de mots et offre en fait un moyen beaucoup plus rapide de prendre des notes. Cela est particulièrement utile pendant des conférences et des conversations. Cela signifie aussi que vous pouvez couvrir un vaste domaine sur une seule feuille de papier.

Un autre avantage est que cette méthode vous oblige à penser. Vous avez à choisir les mots clés, les idées, les notions, les expressions pour atteindre le cœur même de ce qui est dit ou écrit.

Figure 16.   Préparation d'un aranéogramme

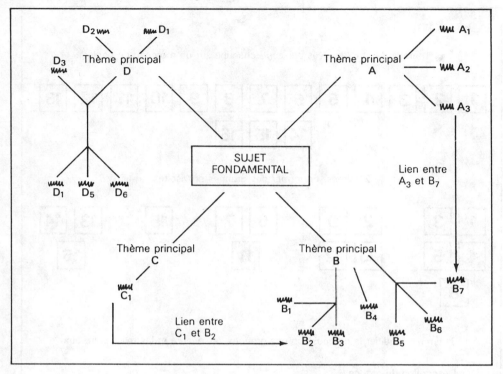

Lors de la préparation d'un aranéogramme, vous constaterez peut-être que vous pouvez aller de l'avant et l'écrire. Vous commencez avec le sujet fondamental étudié et, ensuite, dégagez les thèmes principaux ou les sujets secondaires au fur et à mesure qu'ils se présentent, en les subdivisant s'il y a lieu. Quand les transversales apparaissent, vous pouvez les introduire (voir la figure 16).

Vous trouverez à peu près certainement que tout cela est bien compliqué. Votre graphique aura des quantités de lignes s'entrecroisant, sans laisser assez de place dans un coin ou un autre, etc. Mais, une fois que vous l'aurez établi, vous pourrez le redessiner plus clairement.

Si vous trouvez trop difficile de le faire en entier d'un seul coup, vous pouvez prendre des notes très courtes sur une feuille de papier et les grouper selon un modèle approximatif. Quand vous aurez fini de lire ou d'écouter, vous pourrez chercher les liaisons et les points communs avant de dessiner l'aranéogramme définitif.

Un troisième moyen consiste à préparer un certain nombre de morceaux de papier et d'écrire une idée ou une note sur chacun d'eux. Ce travail fait, vous placez tous ces morceaux devant vous pour en avoir une vue d'ensemble. Vous

Figure 17. Les trois étapes de la préparation d'un aranéogramme

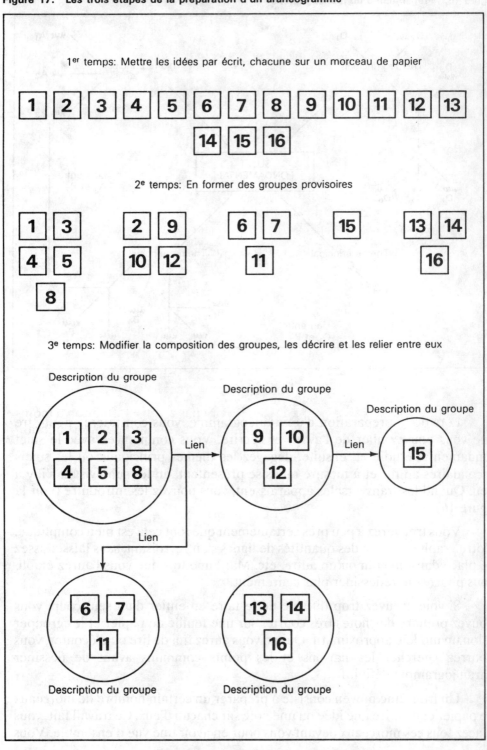

1er temps: Mettre les idées par écrit, chacune sur un morceau de papier

2e temps: En former des groupes provisoires

3e temps: Modifier la composition des groupes, les décrire et les relier entre eux

pourrez procéder à un premier essai rapide et grouper certains points et idées ensemble. Vous pourrez ensuite reprendre le travail, redéfinissant les groupes, leur donnant des noms et les décrivant, et montrant les liens entre les divers groupes (figure 17). N'oubliez pas que ces liens peuvent être négatifs aussi bien que positifs, c'est-à-dire qu'ils peuvent mettre en lumière des contradictions, des incohérences ainsi que des opinions et des idées qui se heurtent.

Donner à vos notes une signification plus personnelle

Ce n'est peut-être pas là tant un moyen de prendre des notes qu'un moyen de les utiliser.

Il est très simple à décrire bien qu'il ne soit pas très facile à appliquer! Essentiellement, tout ce qu'il exige de vous c'est de relire soigneusement vos notes et de mettre par écrit les réponses aux questions suivantes:

Qu'ai-je lu ou entendu? Qu'est-ce que je pense de ces idées?

Quel rapport ont-elles avec ce que je sais déjà?

Et alors? Qu'est-ce que j'éprouve à leur égard?

Pourquoi?

Et maintenant? Que veux-je faire de ces idées?

Ou à cause de ces idées?

Ce que vous avez lu ou entendu ne servira pas à votre formation à moins que vous ne soyez vraiment engagé. Répondre à ces questions vous y aidera.

5.3   Méthode 12: La grille-répertoire

La grille-répertoire est le nom quelque peu fantaisiste donné à une excellente technique consistant à examiner ce que vous sentez, éprouvez ou désirez.

Elle peut être utilisée, par exemple, pour vous aider à examiner:

o   ce qui concerne les gens avec qui vous vous entendez bien comparés avec ceux avec qui vous ne vous entendez pas bien;

o   ce qui concerne les parties de votre travail dont vous vous acquittez bien comparées à celles dont vous ne vous acquittez pas bien;

o   les moments où vous trouvez relativement facile ou difficile de faire acte de volonté (voir méthode 7);

o   les circonstances dans lesquelles vous avez l'esprit assez ouvert ou plutôt fermé (voir méthode 8).

Une fois que vous avez vu plus clair dans tout cela, vous devriez être mieux à même de faire quelque chose à ce sujet, par exemple:

o   vous entendre mieux avec certaines personnes;

o   faire mieux certaines parties de votre travail ou essayer d'en charger quelqu'un d'autre;

o   travailler à avoir plus de volonté;

o   travailler à avoir l'esprit plus ouvert.

Nous allons décrire la méthode par étapes, chacune illustrée par un exemple.

1re étape: Choisir le sujet ou la question à examiner

Vous utiliserez normalement la méthode pour quelque chose qui vous tourmente: un problème ou une décision difficile à prendre.

Nous choisirons ici, comme exemple, ceci: «Qu'est-ce qui, chez certaines personnes, fait que je m'entends bien ou mal avec elles?»

2e étape: Trouver un exemple vécu du sujet ou de la question

Dans ce cas, cela suppose que vous prenez certaines personnes avec qui vous vous entendez bien et d'autres avec qui vous ne vous entendez pas. Nous donnons la liste ci-après (cinq de chaque est un bon nombre).

Je m'entends bien avec:	Je ne m'entends pas bien avec:
Michel	Roger
Henri	David
Jeanne	Jean
Elisabeth	Sarah
Maurice	Richard

De même, vous pouvez énumérer les parties de votre travail que vous faites bien et mal, les situations où vous êtes capable et incapable de faire preuve de volonté, ou ce que vous voudrez. Il est important que ce soient des exemples pris dans la réalité et non imaginaires.

3e étape: Dessiner la grille-répertoire

Copiez le modèle donné dans la figure 18 et inscrivez vos exemples.

Figure 18. Grille-répertoire (3e étape)

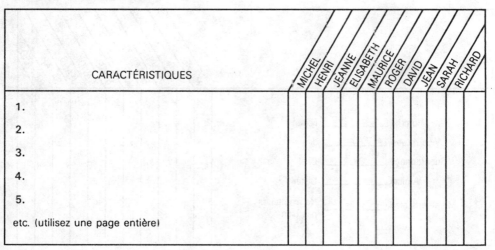

4e étape: Ecrire des exemples, chacun sur une feuille de papier

Chaque exemple (dans le présent cas pour les dix personnes) doit être écrit sur un petit morceau de papier. Ainsi, vous aurez dix morceaux de papier, chacun avec un nom, une situation, un aspect de votre travail, ou ce que vous voudrez.

5e étape: Procéder à la première analyse

Vous mélangez les morceaux de papier et en prenez trois au hasard. Regardez alors les exemples qui y figurent et décidez des deux qui se ressemblent le plus comparés au troisième.

Par exemple, supposez que je prenne au hasard Michel, Maurice et Sarah. Les considérant, je vois que, comparés à Sarah, Michel et Maurice se ressemblent parce que chacun d'eux est un homme et qu'elle est une femme. Ainsi:

Michel:

      homme   Sarah: femme

Maurice:

Je vois aussi que Michel et Maurice sont d'âge moyen alors que Sarah est jeune.

Michel:

      âge moyen   Sarah: jeune

Maurice:

Figure 19. Grille-répertoire (5ᵉ étape)

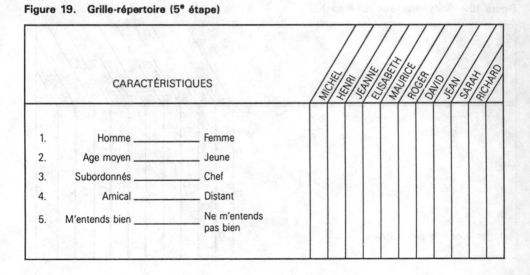

Mais, à d'autres égards, je note que Michel et Sarah se ressemblent (tous deux sont mes subordonnés) comparés à Maurice (qui est mon chef).

Michel:

        subordonnés   Maurice: chef

Sarah:

De même, je trouve Michel et Sarah semblables en ce qu'ils sont amicaux alors que Maurice est distant.

Michel:

        amicaux   Maurice: distant

Sarah:

Et encore:

Michel: je m'entends bien Sarah: je ne m'entends pas
Maurice: avec eux   bien avec elle

Au fur et à mesure que je note ces caractéristiques, je les inscris dans la colonne de gauche du tableau donné à la figure 19.

6ᵉ étape: Poursuivre les analyses

Quand vous avez obtenu le plus grand nombre possible de caractéristiques ou de traits des trois premiers, remettez les trois morceaux de papier dans le tas, mélangez le tout et prenez-en trois autres. Il importe peu qu'un ou deux aient déjà été pris; d'ailleurs, si vous poursuiviez l'exercice

Figure 20. Grille-répertoire (7ᵉ étape)

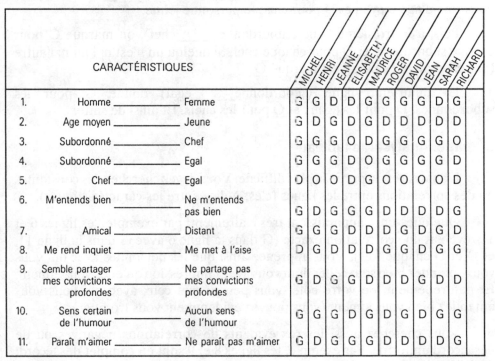

CARACTÉRISTIQUES		MICHEL	HENRI	JEANNE	ELISABETH	MAURICE	ROGER	DAVID	JEAN	SARAH	RICHARD
1.	Homme _____ Femme	G	G	D	D	G	G	G	G	D	G
2.	Age moyen _____ Jeune	G	D	G	D	G	D	D	D	D	D
3.	Subordonné _____ Chef	G	G	G	O	D	G	G	G	G	O
4.	Subordonné _____ Egal	G	G	G	D	O	G	G	G	G	D
5.	Chef _____ Egal	O	O	O	D	G	O	O	O	O	D
6.	M'entends bien _____ Ne m'entends pas bien	G	D	G	G	G	D	D	D	D	G
7.	Amical _____ Distant	G	G	G	D	D	D	G	D	G	D
8.	Me rend inquiet _____ Me met à l'aise	D	G	D	D	D	G	G	D	G	G
9.	Semble partager mes convictions profondes _____ Ne partage pas mes convictions profondes	G	D	G	G	D	D	D	G	D	D
10.	Sens certain de l'humour _____ Aucun sens de l'humour	G	G	G	D	G	D	G	D	G	G
11.	Paraît m'aimer _____ Ne paraît pas m'aimer	G	D	G	G	G	D	D	D	D	G

jusqu'à sa conclusion logique, vous le feriez jusqu'à ce que toutes les combinaisons possibles soient apparues, ce qui prendrait beaucoup de temps.

Procédez à la même analyse avec cette seconde série de trois exemples et inscrivez les caractéristiques dans le tableau. Certaines, bien entendu, commenceront à réapparaître; ne les inscrivez pas deux fois.

Continuez ainsi avec plusieurs séries de trois jusqu'à ce que vous ayez entre 15 et 20 caractéristiques.

7ᵉ étape: Compléter le tableau

Il vous faut maintenant marquer chacun des exemples selon les différentes caractéristiques que vous avez retenues, comme dans la figure 20.

Vous prenez les caractéristiques l'une après l'autre et faites une marque dans chacune des colonnes en face de cette caractéristique. Dans notre exemple, en prenant la caractéristique n° 1 (homme_____femme), nous marquons G (c'est-à-dire à gauche) pour chaque homme et D (à droite) pour chaque femme.

A la ligne suivante (âge moyen_____jeune), c'est G pour chaque personne d'âge moyen et D pour chaque personne jeune.

Puis, à la troisième ligne (subordonné_____chef), on marque G pour chaque subordonné et D pour chaque chef. Si quelqu'un n'est ni l'un ni l'autre (par exemple un égal), il est marqué O.

La quatrième ligne (subordonné_____égal) donne G pour les subordonnés, D pour les égaux et O pour les chefs. Et ainsi de suite.

8ᵉ étape: Analyser le tableau

L'analyse est la partie la plus difficile. Vous devez chercher des constantes ou des corrélations entre les lignes (c'est-à-dire entre les caractéristiques).

Quelques-unes apparaissent très clairement: par exemple, les lignes 6 et 11 révèlent une corrélation exacte (G dans la ligne 6 avec G dans la ligne 11, et D et D chaque fois). Vous apprenez ainsi que les personnes avec qui vous vous entendez bien sont celles dont vous avez l'impression qu'elles vous aiment. Et naturellement, de votre côté, vous pensez que ceux avec qui vous vous entendez bien vous aiment (vous pouvez évidemment vous tromper).

Vous cherchez aussi les cas évidents de corrélations négatives ou de désaccord uniforme. Par exemple, les lignes 8 et 9 sont en complet désaccord: G à la ligne 8 correspond à D dans la ligne 9, et inversement. Cela vous indique que les gens dont les convictions profondes diffèrent des vôtres (ligne 9, D) vous rendent inquiet (ligne 8, G).

D'autres constantes apparaissent aussi. Dans cet exemple, vous constaterez que vous ne vous entendez pas bien avec les jeunes subordonnés puisque vous vous entendez bien avec ceux qui sont d'âge moyen ainsi qu'avec les égaux jeunes.

Il n'y a pas de constante particulière entre les lignes 6 et 7; cela vous indique que vous pouvez vous entendre bien ou mal avec une personne sans que cela semble dépendre du fait qu'elle est amicale ou distante.

De même pour les lignes 6 et 10: il n'y a donc aucun rapport entre le fait que vous vous entendez bien avec quelqu'un et le fait qu'il a le sens de l'humour ou en est dépourvu.

Enfin, il y a un lien étroit entre les lignes 7 et 10: vous associez les rapports d'amitié avec le sens de l'humour.

9ᵉ étape: Et alors?

Dans la dernière étape, il y a lieu de décider, si vous le faites, ce que tout cela signifie pour vous.

Vous vous demandez donc:

o   Qu'est-ce que je pense de cette analyse?

o   Qu'est-ce que j'éprouve à ce sujet?

o   Que veux-je faire à ce sujet?

o   Que suis-je disposé à faire? Que ne suis-je pas disposé à faire?

Dans l'exemple que nous avons pris, vous pouvez décider que l'analyse est assez exacte. Vous en êtes étonné. Vous ne saviez pas que c'est avec les jeunes subordonnés que vous avez les plus grandes difficultés. Vous décidez d'améliorer la situation. Vos premières mesures consisteront à:

o   faire plus attention lorsque vous avez affaire à vos jeunes subordonnés;

o   leur demander de vous dire comment ils vous considèrent.

Ici encore, vous n'êtes pas content de découvrir que les personnes dont les convictions profondes diffèrent des vôtres vous mettent mal à l'aise. Vous décidez d'être plus ouvert à cet égard. La première mesure à prendre sera de recourir à l'exercice concernant ce sujet (méthode 8).

`Résumé

Bien que tout cela puisse sembler plutôt malaisé à manier, une fois que vous aurez attrapé le coup, la grille-répertoire peut vous fournir un moyen très utile de vous rendre compte de la façon dont vous voyez les choses, de ce que vous éprouvez à ce sujet, comment vous y réagissez.

Au début, vous trouverez peut-être l'analyse générale (7e étape) assez difficile. Mais, même si vous n'allez pas plus loin que de remplir le tableau (6e étape), rien que cela vous en apprendra beaucoup sur vous-même. Bien que vous puissiez établir seul la grille-répertoire, celle-ci se prête à un travail à deux ou en petit groupe. Votre partenaire peut vous questionner sur les caractéristiques et vous aider à en voir qui vous ont échappé. Cela vaut aussi pour aborder l'analyse générale et décider de ce qu'il y a lieu de faire à ce sujet (7e et 8e étape).

5.4   Méthode 13: Les procédés de mémorisation

Sont examinés ici les moyens à utiliser pour se rappeler les choses, à savoir: l'emploi d'un carnet, la technique de mémorisation systématique, l'examen rétrospectif.

Le carnet

Pourquoi prendre la peine de garder quelque chose en mémoire alors qu'en réalité vous n'en avez pas besoin? En d'autres termes, il existe un moyen de ne pas oublier quelque chose sans avoir à vous en remettre à votre mémoire.

Il suffit d'avoir toujours sur vous un petit carnet ou un bloc-notes. Quand il vous arrive quelque chose que vous jugez important ou que vous vous apercevez que vous avez quelque chose à faire ou qu'on vous donne un renseignement, notez-le dans votre carnet.

Le simple fait de l'écrire peut vous en faire souvenir, mais ce n'est pas là son but principal. Ce que vous pouvez faire désormais, c'est consulter régulièrement votre carnet pour voir ce que vous avez à faire, ou à dire à quelqu'un, ou à obtenir pour un ami, ou n'importe quoi.

La technique de mémorisation systématique

L'emploi d'un carnet peut vous servir pour des rappels, mais il y a peut-être des cas où vous tenez absolument à ne pas oublier certains renseignements.

Il existe un procédé systématique utile pour garder quelque chose en mémoire:

1) Concentrez-vous sur le sujet; accordez-lui une grande attention. Il est beaucoup plus facile de se souvenir de quelque chose si l'on n'est pas distrait par des bruits, du monde, des choses qui se passent.

2) Récitez-le vous. Inscrivez-le plusieurs fois, récitez-le vous intérieurement ou à haute voix. Dès que vous le pouvez, repassez-le de mémoire, en corrigeant les erreurs aussitôt que possible une fois que vous aurez terminé. Cela est plus facile à faire par bribes, de sorte que, si vous essayez d'apprendre par cœur une longue définition ou un long passage d'un livre, commencez par les réduire en fragments.

3) Rendez-le sensible à l'œil; faites un dessin. Essayez de vous le représenter intérieurement. S'il s'agit d'une série d'instructions, imaginez que vous les exécutez. Si c'est une définition, imaginez l'objet, voyez-le tel qu'il est décrit.

4) Associez-le à quelque chose d'autre. Essayez de voir s'il vous rappelle quelque chose – quelque chose qui lui ressemble, donne la même impression, a la même odeur; ou, à l'inverse, quelque chose de tout à fait différent – servez-vous d'un constraste pour vous souvenir – par exemple, comparez-le à quelque chose qui est beaucoup plus grand, plus petit, plus rugueux, plus lisse, ou ce que vous voudrez.

5) Inventez quelque chose qui aide la mémoire, de mnémonique. C'est une phrase dont les mots commencent par les initiales de ceux que vous

essayez de mémoriser. Par exemple, la présente méthode systématique de mémorisation consiste en *C*oncentration, *R*écitation, *V*isualisation, *R*elation, *M*némotechnique. Un procédé mnémonique permettant de se rappeler ces opérations pourrait être *C*harles *R*elit *V*otre *R*apport *M*ensuel.

L'examen rétrospectif

En procédant régulièrement à cet examen à la fin de chaque journée (méthode 2), vous ferez beaucoup pour améliorer votre mémoire.

5.5   Méthode 14: Améliorer votre capacité de penser logiquement

Votre capacité de penser logiquement, c'est-à-dire de réfléchir aux rapports entre les idées, les causes et les effets, augmentera si vous l'utilisez régulièrement.

Il est évident que vous vous trouverez chaque jour devant nombre de situations vous offrant la possibilité de l'essayer. Un certain nombre d'exercices spéciaux vous y aideront aussi.

Nous en avons déjà vu un: l'examen rétrospectif (méthode 2). Il vous aide à suivre une ligne de conduite donnée, après un événement qui s'est produit, en vous facilitant l'étude du rapport de cause à effet d'une manière qui doit affiner votre sens logique.

Nous passons maintenant à quatre autres exercices qui vous amènent aussi à étudier comment les idées et les faits s'enchaînent, les uns se rattachant aux autres. Ce sont les arbres logiques ou graphiques de séquence, l'observation attentive d'objects matériels, la réflexion sur des idées abstraites et une forme particulière de méditation.

Les arbres logiques ou graphiques de séquence

Strictement, la préparation d'arbres logiques et de graphiques de séquence est soumise à des règles spéciales, mais nous n'insisterons pas trop là-dessus et laisserons les aspects les plus techniques de cette préparation.

Les graphiques de séquence servent notamment à faciliter la planification systématique. Supposons, par exemple, que vous vouliez organiser une réunion publique. Commencez par écrire tout ce qu'il y a à faire. Ne vous préoccupez pas encore de l'ordre dans lequel les choses doivent se faire; faites-en seulement la liste complète. Votre liste pourra se présenter comme suit:

Figure 21. Graphique de séquence (1er, 2e, 3e temps)

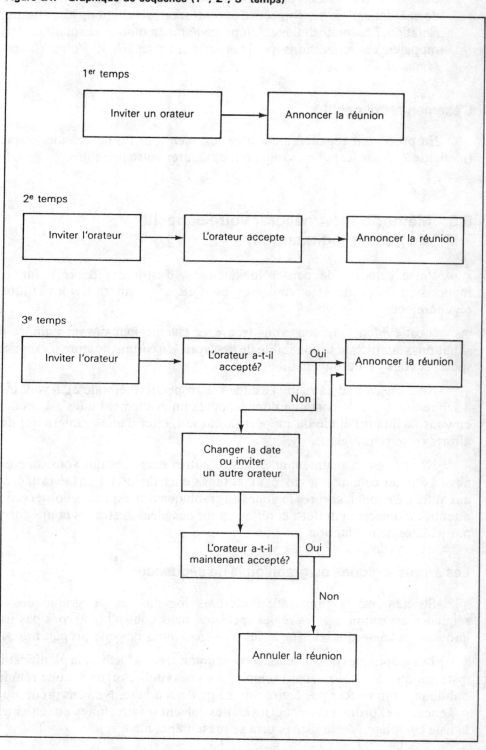

Figure 22. Graphique de séquence achevé

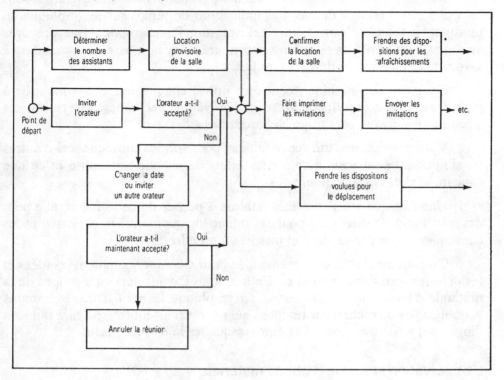

o   annoncer la réunion;

o   louer une salle;

o   inviter un orateur;

o   prendre des dispositions pour les rafraîchissements.

Vous regardez votre liste et constatez que certaines choses doivent se faire avant d'autres. Par exemple, vous ne pouvez pas annoncer la réunion avant de vous être assuré le concours d'un orateur. Vous l'écrivez donc comme le montre la figure 21 (1er temps). Maintenant, si vous réfléchissez bien, vous vous rendez compte qu'il manque quelque chose. Inviter un orateur c'est fort bien mais, avant d'annoncer la réunion, vous devez être sûr qu'il accepte. Vous reprenez le graphique et passez au deuxième temps. Et si l'orateur refuse? Le troisième temps le montre.

Tout cela est fort bien. Vous avez saisi maintenant. La figure 22 donne un tableau plus détaillé de ce petit plan. Vous observerez qu'il contient nombre d'opérations ou de tâches supplémentaires. C'est d'ailleurs un des avantages de ce genre d'arbre logique ou graphique de séquence; il met en lumière certaines des mesures indispensables qui auraient pu sans cela être oubliées.

Il montre aussi les mesures à prendre à tel ou tel moment. En fait, si vous le voulez, vous pouvez donner des indications de temps sur le graphique en marquant le temps qu'exige telle ou telle mesure. Par exemple, si vous prévoyez au moins trois semaines pour faire imprimer les invitations, cela vous aidera à savoir quand les choses doivent être faites.

Ce genre de graphique peut être utilisé chaque fois que vous avez à planifier quoi que ce soit; plus votre plan prévoit de personnes et de ressources à réunir, plus il vous sera utile. Ne tardez pas à l'essayer.

Vous pouvez aussi utiliser ce tableau pour voir les conséquences d'autres possibilités. Il peut vous montrer les effets de chaque possibilité et ce que chacune d'elles entraîne pour vous.

Une fois que vous vous êtes habitué à penser de cette façon, elle peut devenir une utile discipline pour raisonner logiquement sur la portée et les conséquences de divers plans et mesures à prendre.

On peut aussi utiliser la même idée pour examiner comment les idées et les théories sont liées entre elles. En fait, nous l'avons déjà vu à propos de la méthode 11 où nous avons donné au graphique le nom d'aranéogramme. N'oubliez pas de rechercher les idées qui se contredisent (c'est-à-dire qui sont illogiques) aussi bien que celles entre lesquelles le lien est positif.

L'observation attentive d'objets matériels

C'est un excellent moyen d'habituer votre esprit à réfléchir sur les liens, les conséquences, la portée et les autres aspects de la pensée logique.

Prenez tout simplement un objet quelconque et réfléchissez à cet objet et à tout ce qui le concerne.

Prenez l'exemple de ce livre. Tout d'abord le papier. Pensez aux arbres qui ont été abattus, puis réduits en pâte et enfin en papier. Le papier est allé chez l'imprimeur, qui a fourni de l'encre, des caractères et du personnel pour imprimer le livre. Ensuite chez le relieur. Et, une fois relié, comment est-il arrivé jusqu'à vous? Comment a-t-il été transporté? Par mer? Pensez alors au bateau, aux marins, aux quais, aux douaniers, aux camions, aux routes. Les chaînons sont sans fin (et vous n'avez pas pensé à l'auteur et à tous les rapports et les contacts qu'il a fallu avant tout pour écrire ce livre!). Même l'objet le plus simple sera rattaché à toutes sortes de gens et à d'autres objets. En faisant cet exercice régulièrement, non seulement vous développerez votre capacité de penser logiquement mais encore vous penserez à de petits détails tout en obtenant une vue d'ensemble − un autre aspect de la pensée formée.

La réflexion sur des idées abstraites

Cet exercice ressemble un peu au précédent mais il est un peu plus difficile. Au lieu de penser à un objet matériel, vous choisissez une qualité de la personne comme objet de votre méditation.

Vous pouvez choisir la qualité qu'il vous plaira, bien qu'au début il vaille mieux choisir une qualité positive. Les qualités qui se prêtent à l'exercice sont notamment les suivantes:

courage	bonne humeur	calme
confiance	bonté	humour
ouverture d'esprit	gratitude	sacrifice
espérance	liberté	beauté
amour	paix	créativité
sagesse	compréhension	volonté
vérité	altruisme	force
joie	bonheur	

Comment réfléchir à une qualité? Vous y pensez dix ou quinze minutes, notant ce qu'elle représente pour vous lorsque vous la sentez en vous, lorsque vous la sentez chez autrui, quel effet elle a, d'où vient-elle, etc. Toute réflexion est valable dans la mesure où elle s'applique à la qualité considérée. Continuez pendant dix minutes au moins. N'abandonnez pas quand vous êtes tenté de le faire parce que vous croyez n'avoir pas choisi celle qui est la bonne pour vous; toutes sont bonnes pour vous, et c'est en persévérant que vous commencerez vraiment à développer la pénétration de votre esprit et votre intuition et que vous augmenterez votre capacité de penser logiquement et d'analyser.

Une méditation particulière

Si vous trouvez trop difficile la réflexion sur des idées abstraites, cette méditation particulière pourra très bien la remplacer.

Dans ce cas, vous choisissez un mot, une idée, une image, une qualité ou un objet à quoi penser. Vous devez choisir, pour commencer, quelque chose d'agréable ou de positif comme «fleur», «bonté», «aliment», «ce livre».

Vous vous installez ensuite confortablement, comme pour une méditation, et pensez à ce mot ou à ce que vous avez choisi d'autre. Bientôt un autre mot ou une autre idée se présentera à votre esprit. Considérez cela pendant deux ou trois secondes puis revenez à la pensée première.

Figure 23. Une méditation particulière

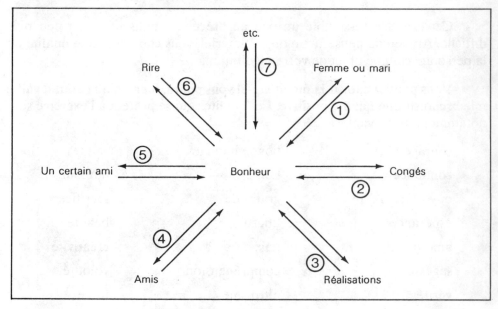

Et ainsi de suite. La figure 23 vous donne un exemple de ce qui peut se passer si vous prenez «bonheur» comme premier mot. Comme vous pouvez le voir, parfois le même mot apparaît plus d'une fois. Cela est bien.

Il est important de revenir chaque fois au premier mot; à cet égard, cette technique est entièrement différente des deux précédentes. Si un faisceau de liens apparaît, revenez au centre entre chacun d'eux.

Outre qu'elle vous aide à développer votre capacité de relier entre elles les choses, les idées et les personnes, la méthode doit aussi vous permettre de voir beaucoup de choses en vous-même et dans votre conception du monde.

AUTRES POSSIBILITÉS D'AUTOFORMATION

6

Dans ce chapitre, nous allons étudier cinq moyens classiques et très traditionnels de vous former vous-même à la gestion; ce sont:

15) les cours (y compris les cours par correspondance);

16) les instruments didactiques et les ouvrages programmés;

17) les projets spéciaux;

18) l'affiliation à des associations ou à des organismes professionnels;

19) la collaboration à des périodiques;

20) l'enseignement et le travail de formation.

6.1   Méthode 15: Les cours (y compris les cours par correspondance)

Suivre un cours est peut-être parmi les plus connues des méthodes d'autoformation parmi les plus couramment reconnues.

En fait, comme le montre le présent livre, un cours n'est qu'une des nombreuses méthodes d'autoformation consciente et systématique. Suivre un cours peut présenter plusieurs inconvénients par rapport à d'autres méthodes, notamment:

o   cela coûte de l'argent et du temps;

o   c'est malcommode; vous ne pouvez suivre un cours que lorsqu'il se donne et vous n'avez pas grand-chose ou rien à dire à ce sujet (alors que la plupart des autres méthodes peuvent être pratiquées où et quand vous le voulez);

o   l'inadaptation; peu de cours sont conçus en fonction des besoins et des problèmes des participants. Ils tendent à être organisés par sujets ou disciplines plutôt qu'en considération des problèmes de la vie réelle et des questions d'autoformation.

Nous n'allons toutefois pas dire que les cours n'ont pas place dans l'autoformation. Ils peuvent certainement avoir leur utilité. Mais, pour les rendre utiles, il est bon de se poser quelques questions.

But

o   Pourquoi veux-je suivre un cours?

o   Quels sont mes vrais motifs?

  – Pour apprendre certaines choses? Pourquoi? En quoi m'aideront-elles?

  – Pour obtenir un diplôme? Pourquoi?

  – Pour le prestige, ou cela me servira-t-il vraiment?

  – Pour avoir l'occasion d'aller à l'étranger?

  – Pour me reposer ou interrompre mon travail?

o   Attendrai-je ces buts en suivant ce cours? Qu'est-ce qui me le fait penser?

o   Quelles autres possibilités s'offrent-elles?

Faisabilité/commodité

o   Quelles sont les conditions d'admission? Puis-je les remplir?

o   Combien cela coûtera-t-il?

o   Est-ce que je dispose de cette somme? Ce genre de dépense se justifie-t-il?

o   Existe-t-il des sources de financement (par exemple mon employeur, l'Etat, un fonds de formation, une institution d'assistance étrangère)?

o   Combien de temps le cours doit-il durer? Quelles seraient les conséquences de mon absence pendant ce temps?

o   Où le cours aura-t-il lieu? Dans quelle mesure cela me touche-t-il?

o   Quelles autres personnes seront touchées si je vais suivre un cours? En quoi le seront-elles?

Valeur du cours

o   Quelle preuve y a-t-il que le cours atteindra les buts qu'il annonce? (Les cours représentent de grosses affaires de nos jours, aussi l'offre en est-elle fort abondante. Des prétentions erronées et fallacieuses sont émises en faveur de toutes sortes de cours, surtout, nous regrettons de le dire, dans le domaine de la formation à la gestion.)

o   Connaissez-vous quelqu'un qui a suivi le cours en question? Qu'en a-t-il pensé? Existe-t-il des rapports suivis entre votre organisation et un établissement ou cours donné?

o   Si c'est un cours conduisant à un diplôme, essayez d'obtenir les chiffres concernant le pourcentage des succès et des échecs. Les établissements sérieux vous les donneront si vous le leur demandez. Si le cours se donne à l'étranger (par exemple au Royaume-Uni ou aux Etats-Unis), essayez de savoir combien d'étudiants «étrangers» le suivent et le pourcentage de leurs succès et échecs comparé à celui des étudiants du pays. Il est triste que nombre d'établissements compensent l'insuffisance de leurs inscriptions en faisant des offres à des étudiants étrangers auxquels le cours ne convient pas mais à qui il peut arriver que le prix qu'on leur demande soit plus élevé que pour les étudiants du pays.

o   Informez-vous de ce dont peuvent disposer les étudiants étrangers, notamment en matière de logement et de travaux pratiques dans un projet.

Les cours par correspondance

On peut en dire autant pour le choix d'un cours par correspondance, bien qu'avec eux on risque moins en argent et en temps. En revanche, apprendre par correspondance est beaucoup plus difficile que la plupart des gens ne se l'imaginent. Le principal problème est que la plupart de ces cours ne disent pas suffisamment à leurs étudiants comment étudier et apprendre mais se concentrent exclusivement sur le sujet traité.

Avant de suivre un cours par correspondance, faites-vous donner une leçon spécimen. Demandez aussi à l'établissement s'il connaît quelqu'un dans votre partie du monde qui a suivi le cours. Vous pourrez ainsi prendre contact avec cette personne et lui demander son opinion. Parfois les leçons se font sous forme de «réponses modèles»; celles-ci peuvent paraître utiles à première vue mais peuvent aussi se révéler être un sérieux obstacle. Les «réponses modèles» vous permettent tout juste de réussir un examen mais en aucun cas de devenir un excellent étudiant. Il vaut mieux, bien que cela demande plus de travail, ne pas avoir de réponses modèles à apprendre mais travailler vous-même à vos compositions et à vos idées en étant convenablement suivi par des professeurs du cours. Demandez donc une leçon spécimen, faites un devoir spécimen et obtenez des conseils spécimens.

Beaucoup d'établissements enseignant par correspondance offrent une réduction de prix si vous payez celui-ci entièrement d'avance. A moins que cette réduction ne soit particulièrement avantageuse, mieux vaut payer par acomptes afin de réduire votre perte au minimum si vous constatez que le cours n'est pas de la qualité qu'il prétend.

Dans certains pays, on trouve de plus en plus des programmes combinant les cours par correspondance avec des émissions radiophoniques ou télévisées, avec des discussions dans des groupes existant chez vous, etc. Ce peut être un meilleur moyen, et plus efficace, d'apprendre que par simple correspondance surtout si l'enseignement vient d'un établissement situé à plusieurs milliers de kilomètres.

Quand vous suivez un cours par correspondance, c'est à vous de décider où et quand vous étudierez. Il est très important de s'efforcer d'étudier régulièrement, selon un horaire précis (par exemple deux heures chaque soir, ou trois heures le mardi et le jeudi, ou tous les dimanches matin). Le temps que vous y passerez dépendra naturellement de la nature du cours; un bon cours par correspondance vous conseillera là-dessus. En fait, nombre d'étudiants pensent que ces conseils vont trop loin (estimant qu'on recommande trop d'heures d'étude). Mais une fois au travail, vous constaterez qu'il vous faut davantage plutôt que moins de temps qu'on ne vous l'avait suggéré. Des études ont aussi montré que la majorité des étudiants par correspondance passent moins de temps à étudier qu'ils ne l'entendaient au début; rappelez-vous cela quand vous préparerez votre plan.

On s'engage vraiment beaucoup en suivant un cours par correspondance; aussi, nous vous recommandons de ne pas le faire avant d'avoir bien pensé à votre plan à long terme d'autoformation (voir le chapitre 2 et l'annexe 4 sur la «biographie»).

Comme nous l'avons dit, quelle que soit la quantité de temps consacrée à l'étude, il est très important de prévoir de travailler régulièrement: faites-vous un horaire et efforcez-vous de le respecter. Bien sûr, des imprévus vous obligeront parfois à vous en écarter. Dans ce cas, ne vous affolez pas mais tâchez si possible de vous rattraper.

Votre horaire devrait prévoir:

o le nombre d'heures hebdomadaires consacrées au travail;

o l'espacement de ces heures;

o les moments de la journée que vous allez utiliser, ce qui dépend des heures disponibles, ainsi que de vos préférences et des circonstances; certaines personnes travaillent mieux au début de la matinée, d'autres tard le soir;

o comment ces heures seront réparties par sujets;

o la durée de chaque période de travail – en fait, entre quarante-cinq minutes et deux heures; vous aurez besoin de faire une pause avant de travailler plus longtemps.

L'endroit où vous travaillerez dépendra aussi des circonstances. Mais, en général, il est préférable de travailler devant une table ou à un bureau plutôt que couché ou assis dans un fauteuil. N'oubliez pas que la plupart du temps vous prendrez des notes. Souvenez-vous aussi qu'il est très difficile de travailler si la radio ou la télévision est en marche, si les enfants jouent ou si l'on est distrait par quoi que ce soit.

L'étude par correspondance est un travail difficile et souvent solitaire. Prenez courage! Presque tous les étudiants par correspondance deviennent déprimés et ont envie de renoncer – vous n'êtes donc pas le seul!

Quand vous rencontrez des difficultés, essayez de ne pas abandonner; utilisez plutôt les difficultés comme des occasions d'apprendre à apprendre. Une bonne analyse de vos difficultés doit vous permettre de voir ce qui vous empêche d'apprendre; ces renseignements peuvent être alors le point de départ d'un cycle de la formation si vous utilisez les processus du jugement sur soi et de la planification indiqués au chapitre 2.

Si possible, choisissez un cours par correspondance avec communication bidirectionnelle (par exemple un système de conseils ou un enseignement par téléphone). Cela n'est peut-être pas possible dans de nombreuses parties du monde, mais pourquoi ne pas essayer de créer vous-même un système de ce genre? Essayez de trouver des camarades d'études et de former un groupe d'assistance mutuelle (méthode 27). Ou bien demandez à l'université ou à l'institution de gestion de chez vous de créer un service de consultations (voir aussi le chapitre 10).

L'étude par correspondance est essentiellement fondée sur la lecture, la prise de notes et la rédaction de compositions. Les deux premières sont examinées ailleurs (méthodes 10 et 11).

La rédaction de compositions

Ecrire une composition demande du talent. Très brièvement, les directives suivantes pourront être utiles:

o assurez-vous que vous comprenez le sujet de la composition; analysez le titre et posez-vous des questions qui s'y rapportent comme si vous étiez un examinateur vous interrogeant vous-même sur le sujet;

o au fur et à mesure que vous lisez et faites des recherches en vue d'une composition, gardez cette question à l'esprit et posez-vous en d'autres à mesure que vous avancez; notez toutes les questions par écrit pour vous les rappeler;

o conservez sur vous un petit carnet et jetez-y, à mesure qu'elles se présentent à votre esprit, toutes les idées se rapportant à votre ou à vos compositions. Cela se produira souvent à des moments inattendus, et d'avoir ainsi ce carnet vous empêchera d'oublier ces idées souvent fécondes et brillantes!

o quand il s'agit d'un texte, notez l'auteur, le titre, l'éditeur, la date de publication, le numéro de la page;

o décidez de ce que vous allez dire, selon une séquence logique ou en utilisant un aranéogramme (méthode 11);

o faites un plan prévoyant par exemple:

– une introduction;

- un développement;
- une conclusion;

o écrivez dans le style approprié, en utilisant la langue de tous les jours, si possible;

o une fois votre composition écrite, mettez-la de côté pendant quelques jours et corrigez-la si vous le voulez. Il se peut que vous deviez vous imposer de la récrire pour l'améliorer.

6.2 Méthode 16: Instruments didactiques et textes programmés

Il est de plus en plus facile de se procurer, et en nombre croissant, des «instruments didactiques» d'autoformation. Qu'entendons-nous par là? Ils se présentent d'habitude sous la forme de livres (parfois de manuels à feuilles mobiles) et indiquent un certain nombre d'exercices et d'activités destinés à faciliter l'autoformation. En ce sens, le présent livre peut être considéré comme un instrument didactique.

Les manuels programmés et les ouvrages que nous avons en vue diffèrent cependant de ce livre en ce qu'ils portent d'ordinaire sur des sujets théoriques plutôt que sur les aptitudes personnelles. Ils exposent un sujet d'une façon structurée, logique, qui demande à l'utilisateur de réagir activement (d'ordinaire en répondant à une question) avant d'aller plus loin.

Le nombre des programmes et des aides de formation utilisant les moyens audiovisuels ou l'ordinateur augmente rapidement. Ils peuvent présenter des particularités très ingénieuses et ont peut-être beaucoup à offrir pour l'autoformation; mais, il est important de voir qu'ils peuvent coûter très cher, que leur utilisation exige du matériel importé (qui risque de se dérégler si l'on ne dispose pas de services d'entretien coûteux et qui dépend de l'approvisionnement en électricité, souvent irrégulier), et qu'ils reposent sur des programmes importés tout aussi coûteux. Ce sera néanmoins un domaine important à l'avenir.

6.3 Méthode 17: Les projets spéciaux

Un autre moyen d'élargir votre expérience – et, par suite, de multiplier vos possibilités d'autoformation – consiste à entreprendre, à votre travail, des projets spéciaux.

Naturellement, vous allez penser que vous avez déjà assez à faire sans avoir à vous charger d'un travail supplémentaire. Mais il vaut la peine d'examiner la possibilité d'exécuter un projet spécial.

De quoi peut-il s'agir? Cela dépend. Des conversations avec votre chef ou d'autres collègues devraient mettre en lumière toutes sortes de domaines ou de problèmes qui demandent à être examinés. Essayez de choisir quelque chose qui touche de près à votre organisation – cherchez les secteurs où les choses vont mal ou coûtent trop cher, ou encore où d'importants changements sont imminents. Si votre organisation compte un spécialiste des services de la gestion, il sera peut-être bien en mesure de vous orienter.

Si vous travaillez avec un groupe d'autoformation ou un groupe de formation-action (voir le chapitre 8), l'exécution d'un projet de groupe donnera des résultats particulièrement précieux.

On recourt aussi de plus en plus, dans les cours, au travail dans des projets; il peut aussi se faire individuellement ou en groupe. Certaines des phases par lesquelles passe un groupe sont décrites au chapitre 8. Le sujet est traité à l'intention des formateurs de gestionnaires mais, si vous êtes membres d'un projet de groupe sans formateur, nombre de points dont il y est question vous intéresseront.

6.4 Méthode 18: Affiliation à des associations ou à des organismes professionnels

Un excellent moyen de vous encourager dans votre autoformation est de vous affilier à quelque association, organisme professionnel ou à quoi que ce soit d'approprié.

Le moins que vous puissiez en retirer c'est d'entrer en rapport avec d'autres gens dont les intérêts sont pareils aux vôtres. La plupart de ces associations publient régulièrement des revues et des bulletins d'informations qui peuvent être l'occasion de contacts et fournir des idées et des renseignements (sur les gens, les cours, les publications nouvelles).

Vous pouvez aussi devenir un membre plus actif en assistant à des réunions et à des conférences, en écrivant dans des publications, en organisant des visites, etc.

Vous connaissez sans doute les associations qui existent chez vous. Sinon, vous devrier pouvoir l'apprendre en parlant avec des collègues, en lisant des journaux, en vous adressant aux institutions compétentes.

S'il n'existe vraiment aucune association présentant un intérêt pour vous, pourquoi ne pas essayer d'en former une vous-même? Réunissez des gens susceptibles d'être intéressés, voyez si, entre vous, vous pouvez en fonder une. Ces démarches, à elles seules, peuvent beaucoup favoriser votre autoformation.

6.5   Méthode 19: Collaboration à des périodiques

Puisque vous lisez des journaux et revues, pourquoi ne pas essayer d'écrire pour eux? La plupart sont très heureux de recevoir des articles – en particulier de gestionnaires appartenant à une organisation. Beaucoup de revues semblent n'attirer que la collaboration d'universitaires. Certaines en sont heureuses, mais il plairait aussi à nombre d'entre elles de publier des articles émanant de véritables gestionnaires qui pratiquent leur métier.

Si vous voulez que votre article ait des chances d'être accepté, il est important de penser toujours au style que telle ou telle publication peut accepter. En en lisant plusieurs numéros, vous découvrirez le genre de textes qu'elles recherchent, de quelle longueur elles les préfèrent, s'ils doivent être théoriques ou pratiques, ou l'un et l'autre. Chaque périodique a sa «personnalité», et il faut vous en souvenir.

Si votre article est rejeté, ne soyez pas trop découragé! Votre effort est en lui-même une réussite et vous aurez de toute façon beaucoup appris en l'écrivant.

6.6   Méthode 20: Enseignement et travail de formation

Un excellent moyen de vous former consiste à former d'autres personnes et à leur enseigner. En tant que gestionnaire efficace, vous aurez à le faire dans le cadre de votre travail, chaque jour, lorsque l'occasion s'en présentera. Mais pourquoi n'envisageriez-vous pas d'offrir vos services pour des séances de formation en tant que telles, soit au sein de votre organisation, soit dans une université ou une institution locale?

Il se peut aussi que vous ayez quelque talent ou intérêt sans rapport direct avec votre travail (par exemple un sport ou un hobby). Dans ce cas aussi une université locale, un club de jeunesse ou toute autre entreprise communautaire ne serait peut-être que trop heureuse de bénéficier de votre collaboration.

Ce travail peut vous amener à fonctionner comme moniteur ou instructeur, ou bien vous pourriez utiliser votre expérience de gestionnaire pour aider à diriger un club, un comité, un organisme bénévole ou ce que vous voudrez. Vous aurez donc à décider si vous voulez être un formateur en donnant un enseignement direct ou en travaillant avec d'autres personnes que votre exemple peut instruire.

FORME PHYSIQUE, RELAXATION ET AUTRES ASPECTS DE LA PERSONNE

7

Dans le présent chapitre, nous allons examiner la forme physique, la relaxation et quatre autres aspects de la personne, comme suit:

21) travailler à sa forme physique, à sa relaxation et à la méditation;
22) s'accommoder de sa taille et de son apparence physique;
23) travailler avec des gens différents de soi;
24) travailler selon son tempérament;
25) travailler selon son style de gestion.

7.1 Méthode 21: Travailler à sa forme physique, à sa relaxation et à la méditation

Au début de leur évolution, les êtres humains étaient sans cesse menacés par des animaux dangereux, des bandes guerrières, etc. Devant ces menaces, ils réagissaient en s'en débarrassant − soit directement en les combattant, soit indirectement en prenant la fuite. Pour s'aider dans ce combat ou cette fuite, le corps humain s'est préparé de diverses manières, notamment en respirant de façon précipitée, en augmentant la tension artérielle, en accélérant les battements de cœur, etc.

Aujourd'hui, les gestionnaires courent rarement un danger venant des bêtes sauvages, mais ils se trouvent à coup sûr dans un certain nombre de situations éprouvantes, engagés qu'ils sont dans des conflits et des négociations, tenus à des délais difficiles à observer, prenant des décisions délicates ou traitant avec des clients, des patrons ou des hommes politiques mécontents.

Bien que ces situations soient très différentes de celles que nos ancêtres devaient affronter, notre corps répond exactement de la même manière: accélération des battements du cœur, tension artérielle, etc. Malheureusement, ces réactions − si excellentes qu'elles puissent être pour nous mettre en état de combattre une bête sauvage ou pour courir aussi vite que possible − ne nous sont d'aucun secours pour faire face à des problèmes de gestion.

Bien pis, comme nous ne pouvons pas nous battre ou fuir dans nos bureaux, les changements qui s'opèrent dans le corps pour lutter ou fuir ne sont pas d'une grande utilité.

Le résultat apparaît sous de nombreuses formes. Dans l'immédiat, notre disposition à nous battre nous fait parler sèchement ou hausser le ton, d'ordinaire avec quelqu'un qui n'a pas le pouvoir de riposter, comme un subordonné. Combien de fois vous en prenez-vous à une personne innocente pour vous décharger sur elle d'une réprimande que vous a faite votre chef?

Notre mouvement de fuite se manifeste sous de nombreuses formes, notamment en rêvassant, en allant voir quelqu'un «pour affaire urgente», en faisant quelque chose d'autre que ce qu'exige notre travail à ce moment-là, même en allant aux toilettes à un moment difficile! Les maux de tête, les douleurs et les élancements mystérieux et fugitifs offrent aussi une échappatoire socialement acceptable quand on ne sent pas bien, qu'on rentre chez soi plut tôt que d'habitude ou qu'on ne va pas au travail.

A la longue, le désir de combattre ou de fuir, s'il ne s'est pas donné libre cours, peut devenir plus intense et créer de graves problèmes de santé.

Trop souvent, les gens réagissent aux signes de tension en prenant des tranquillisants, en fumant ou en buvant. Mais tout cela nuit beaucoup à votre santé.

Il est donc préférable de chercher d'autres moyens de venir à bout de vos tensions et de votre stress. D'une manière générale, deux grandes méthodes s'offrent pour cela: physique et mentale.

En Orient, il y a longtemps qu'on a admis qu'il existe un rapport étroit entre le corps et l'esprit, alors qu'en Occident on ne s'en est rendu compte que plus récemment.

Etant donné ce rapport, les activités apparemment «physiques» sont traitées en même temps que les activités apparemment «mentales». Bien que le lien ne soit pas absolu, très souvent un programme d'exercices visant à améliorer la forme physique amènera une détente mentale aussi bien que physique. Réciproquement, ce qui a l'air d'une technique «mentale» (ainsi, diverses formes de méditation) sera bénéfique pour la forme physique aussi.

Il y a aussi une grande différence entre les méthodes générales employées en Orient et en Occident, surtout en ce qui concerne la forme physique (tableau 6). Les méthodes occidentales tendent à insister sur les exercices intenses, vigoureux, souvent de compétition, qui aboutissent à fortifier les muscles et la capacité de faire des efforts. Les méthodes orientales, en revanche, tendent à être plus douces et fluides, favorisant l'équilibre et l'acquisition d'une force d'un genre différent, moins brusque, plus économique. Dans ces exercices, la vitesse, l'agilité et la souplesse ont certainement plus d'importance que la force. Etant donné le lien plus étroit qu'elles supposent entre l'esprit et le corps,

Tableau 6. Exercices physiques pratiqués en Occident et en Orient

En Occident	En Orient
Course à pied, marche, jogging, cyclisme, haltérophilie.	Judo, karaté, kung fu, hatha yoga, t'ai chi, k'ai men
Mouvements saccadés (exercices spéciaux pour fortifier certains muscles)	
Natation	
Sports de compétition: tennis, squash, etc.	Divers autres yogas (comportant plus de méditation)
Compétition par équipes: football, cricket, etc.	
La technique Alexandre est aussi une forme de «yoga» (discipline orientale) mise au point en Occident.	

les méthodes physiques orientales ont plus de chances de permettre en outre la relaxation (de fait, l'accent mis en Occident sur le sport de compétition et l'obsession du «niveau» physique qui l'accompagne rendent souvent les gens extrêmement anxieux et tendus).

Les méthodes d'entretien de la forme physique

Il n'est pas possible, dans les limites de cet ouvrage, d'examiner en détail les moyens de se maintenir en bonne forme physique. Tout ce que nous pouvons faire, c'est en mentionner quelques-unes, comme dans le tableau 6.

Il existe d'excellents livres qui décrivent en détail tous ces exercices et bien d'autres encore et donnent des conseils sur la façon de choisir les exercices qui conviennent. Par exemple, vos caractéristiques physiques déterminent le genre de sport que vous trouverez facile à pratiquer. Normalement, une personne plutôt mince, grêle et anguleuse trouvera plus facile de s'adonner à la course à pied, au jogging, à la marche, au cyclisme ou au jeu de boules. Les personnes rondes, grandes et plutôt grasses pourront préférer la natation, le cyclisme, le jeu de boules ou le tir à l'arc, tandis que les gens musclés pratiqueront facilement n'importe lequel de ces sports. Par ailleurs, certaines activités procurent divers avantages; le tableau 7 en donne quelques exemples.

Méthodes physiques de relaxation: la méditation physique

Dans une certaine mesure, toutes les méthodes concernant la forme physique amèneront une détente (sauf, peut-être, dans les cas de sports de très grande compétition). Mais il y a quelques moyens techniques qui sont particulièrement utiles pour vous aider à vous détendre.

Tableau 7. Avantages procurés par divers exercices

Activité	Bénéfique pour
Jogging	Le poids, le sommeil, la digestion, le cœur et les poumons, les muscles des jambes.
Natation	Le sommeil, la digestion, le cœur et les poumons, tous les muscles.
Cyclisme	Le poids, le sommeil, la digestion, le cœur et les poumons, tous les muscles.
Tir à l'arc	L'équilibre, les muscles du thorax et des bras.
Jeu de boules	Les muscles des bras.
Judo, karaté, kung fu	L'équilibre, l'agilité, le cœur et les poumons.
Hatha yoga, t'ai chi, k'ai men	L'équilibre, l'élasticité, la souplesse, le maintien, le cœur, les organes internes, la respiration, la conscience de soi, le calme intérieur, la relaxation.
Technique d'Alexandre	La méditation physique.

Comme vous le verrez dans le tableau 7, les méthodes orientales (hatha yoga, t'ai chi et k'ai men) appartiennent à cette catégorie. Malheureusement, il n'est pas possible de les décrire ici faute de place. Cela tient en partie à ce qu'il y faudrait un grand nombre de dessins et de graphiques et en partie à ce qu'elles sont beaucoup plus que des techniques: ce sont en réalité des modes de vie, des «philosophies physiques» en quelque sorte.

Cela signifie même qu'elles sont difficiles à apprendre dans un livre; vous avez vraiment besoin d'un professeur. Il se peut qu'il s'en trouve un près de chez vous, mais il est clair que cela ne sera pas le cas pour la plupart des gens. Les livres que l'on peut trouver montrent les points essentiels de chacune de ces méthodes.

Il est cependant possible de donner ici quelques indications sur d'autres moyens de se détendre.

La technique d'Alexandre

La technique d'Alexandre est aussi une «philosophie physique». Trois de ses activités principales peuvent cependant être décrites et pratiquées très simplement.

La première consiste à *vous étendre,* la tête ou la nuque appuyée sur une pile de livres. C'est en réalité un excellent moyen de se relaxer. Il est fondé sur le fait que, lorsque vous êtes étendu, cette tension, en allant du cerveau au reste de votre corps, passe par votre nuque. En restant donc avec votre nuque dans la position d'Alexandre, vous aidez à réduire la tension.

Lorsque vous utilisez cette méthode, vous êtes étendu sur le dos avec votre nuque (à la hauteur des oreilles) reposant sur une pile de livres – de préférence des livres brochés. Vous réglerez la hauteur de la pile jusqu'à ce que votre position soit confortable – en moyenne quinze centimètres environ. Vous relevez ensuite vos genoux et posez vos mains sur la poitrine. Cela peut suffire à vous détendre mais c'est aussi une excellente position pour d'autres types de méditation (voir plus loin dans la présente section).

Le deuxième exercice concerne la manière de vous *tenir debout*. Vous vous tenez debout, les bras le long du corps, les pieds écartés d'environ quinze centimètres mais parallèles l'un à l'autre. Vous fléchissez alors les genoux et poussez un peu votre derrière en arrière. Baissez un peu la tête et regardez droit devant vous en levant un peu les yeux (mais en gardant votre tête légèrement penchée). Enfin, dans cette position, vous imaginez qu'une force, partie du plancher, court le long de votre corps jusqu'au haut de votre tête et au plafond. Conservez cette position (genoux légèrement fléchis, derrière saillant, tête penchée, yeux levés, une force imaginaire parcourant votre corps) pendant deux ou trois minutes, ou davantage quand vous y serez habitué. Continuez à respirer régulièrement – ne retenez pas votre respiration.

Une fois habitué à cette méthode, vous pouvez la pratiquer à tout moment où vous êtes debout.

Le troisième exercice concerne la *position assise*. La plupart d'entre nous s'asseyent dans une mauvaise position, penchés en arrière au point que nous sommes en réalité «assis» sur le milieu de notre dos. Vous vous asseyez donc sur un siège ou une chaise durs, les pieds à plat par terre (pas de chaussures). Une fois assis, mettez vos mains sur votre derrière et chercher deux «bosses» très nettes. Ce sont les os sur lesquels vous êtes assis, c'est-à-dire les «supports» sur lesquels vous devriez réellement être assis.

Une fois repérés les os sur quoi vous vous asseyez, retirez vos mains, placez-les sur vos genoux et, si c'est nécessaire, rectifier votre position de façon que votre poids repose sur lesdits os. Baissez légèrement la tête en levant les yeux comme dans l'exercice fait debout.

Ensuite, comme dans l'exercice fait debout, vous imaginez une force passant à travers votre corps à partir des os sur lesquels vous êtes assis jusqu'au sommet de votre tête et au-delà. Restez plusieurs minutes dans cette position. Continuez à respirer régulièrement – ne retenez pas votre respiration.

Ici encore, une fois habitué à cette méthode, vous pouvez l'utiliser chaque fois que vous êtes assis – mais une chaise qui n'est pas dure la rend très difficile. Si vous entendez faire l'exercice pendant un long moment, vous le trouverez peut-être plus facile en mettant un coussin entre vous et le dossier de la chaise.

Les exercices de respiration peuvent être très reposants. Trouvez un endroit tranquille où vous pouvez être confortablement assis. Il est très important de se tenir droit, bien d'aplomb. Certains préfèrent s'asseoir par terre, les jambes croisées, mais cela n'est pas indispensable et vous serez peut-être plus à l'aise sur une chaise. Dans ce cas, asseyez-vous avec les deux pieds par terre, le dos droit, la tête levée. Ne vous installez pas trop confortablement: il ne faut pas que vous vous endormiez. Vous pouvez aussi prendre la position couchée d'Alexandre décrite plus haut.

Une fois bien installé, fermez les yeux et détendez consciemment tous vos muscles en commençant par le sommet de votre tête et en descendant le long de votre corps jusqu'au bout des orteils. Si vous éprouvez des difficultés à le faire, dites-vous que vous êtes de plus en plus détendu, que vous allez toujours plus bas, toujours plus bas... Il est souvent utile que vous vous imaginiez descendre en ascenseur, sur un escalier roulant, dans de l'eau chaude, au fond de la mer.

Inspirez par le nez, expirez par la bouche, prononçant un long «aaa... ah», et écoutez votre respiration. A mesure que vous vous relaxerez, vous noterez que votre respiration devient plus lente, plus profonde et plus tranquille. Vous noterez qu'à la fin de chaque respiration (c'est-à-dire après l'expiration), il y a une pause avant que vous commenciez à inspirer de nouveau.

Quand vous aurez remarqué ces pauses, commencez à compter à rebours, de dix à un. Comptez comme ceci: expirez: dix, inspirez; expirez: neuf, inspirez; expirez: huit, etc. Comptez ainsi de dix à un, puis remontez de un à dix, de nouveau à rebours de dix à un, et ainsi de suite.

Des pensées peuvent venir vagabonder dans votre esprit pendant que vous respirez tout en comptant. Ne vous en inquiétez pas; laissez venir la pensée, ne vous y attardez pas, laissez-la s'en aller. Revenez ensuite à dix et recommencez à compter. Ne vous inquiétez pas si vous n'arrivez pas à un, surtout au début.

Continuez à respirer en comptant de cette manière pendant quinze à vingt minutes (bien que dix minutes soit plus facile au début) au moins une fois par jour; deux fois est encore mieux. Ayez une montre ou une pendule à portée et contrôlez si vous le désirez (autrement gardez les yeux fermés). Quand vous avez terminé, restez tranquillement assis quelques minutes, puis levez-vous lentement.

Moyens mentaux de se relaxer: la méditation

Bien que la méditation ait pour but principal de vous aider à vous relaxer – et, par suite, d'améliorer aussi bien, à plusieurs égards, votre santé physique –, d'autres avantages en résultent peu à peu. Et même les effets qu'on attribue à la méditation sont si vastes qu'ils semblent être presque trop beaux pour être vrais! Citons cependant certains de ces avantages dont on possède au moins quelques preuves:

o   le calme intérieur;
o   une diminution de l'anxiété;
o   moins de stress et de tension;
o   des battements de cœur plus lents;
o   une tension artérielle réduite;
o   une plus grande résistance aux maladies;
o   un meilleur sommeil;
o   une meilleure santé mentale;
o   une meilleure mémoire;
o   un plus grand pouvoir de penser logiquement;
o   une plus grande créativité;
o   une plus grande confiance en soi;
o   une volonté plus forte;
o   de l'intuition;
o   une meilleure conception des rapports avec les autres.

Les techniques de la méditation sont extrêmement nombreuses, de sorte que tout ce que nous pouvons faire ici c'est en retenir un petit nombre. Celles qu'on verra dans cette section sont assez «générales» et visent principalement à réduire l'anxiété et les tensions; il est probable qu'elles pourront aussi produire certains des autres effets mentionnés plus haut.

Les méditations visant spécifiquement à vous rendre plus capable de réfléchir et d'être logique sont examinées à propos de la méthode 14.

Pour obtenir des résultats, il est absolument indispensable de méditer régulièrement pendant un certain temps. Une fois par jour, pendant quinze à vingt minutes, est un minimum. A moins, on n'arrive probablement à rien de positif.

La position à prendre pour méditer varie selon les traditions. Il n'y a cependant aucune manière de s'asseoir qui soit absolument la «meilleure» ou «correcte». Le principal est d'être à l'aise, et il importe peu que vous soyez assis par terre ou sur une chaise. Si vous pouvez être assis en vous tenant assez droit, tant mieux. Il est préférable d'être assis plutôt que couché pour ces sortes de méditations.

Dans nombre de méditations, vous avez à contempler certains objets matériels. La *méditation sur une graine* en est un exemple.

La graine que vous choisissez doit être celle d'une plante que vous connaissez. Cela signifie que vous devez avoir vu cette plante à tous les moments de sa croissance et de son développement, de la première pousse à la venue des feuilles, aux bourgeons, aux fleurs, aux graines, à la décomposition ou à la régénération selon le genre de plante.

Pour méditer sur la graine choisie, vous la placez devant vous, notez sa forme, sa couleur et toute autre caractéristique visible. Vous pensez ensuite que, si elle est mise dans le sol qui lui convient, une plante en sortira lentement. Imaginez la force vitale que renferme la graine et qui, bien qu'endormie en ce moment, attend d'être libérée. Imaginez ensuite la plante qui croît, lentement mais sûrement. Voyez-la en imagination apparaître hors de la graine, faisant poindre une pousse vers le haut, la lumière, et poussant des racines vers le bas. Imaginez ces racines absorbant de l'eau et des minéraux du sol. Imaginez la pousse débouchant dans l'air frais, s'ouvrant, absorbant de la chaleur et de l'air, se donnant des feuilles. Imaginez les bourgeons se formant, puis s'ouvrant petit à petit en fleurs. Imaginez les fleurs dans toutes leurs formes et couleurs, les insectes qui volent autour d'elles. Imaginez les nouvelles graines se développer de la façon dont elles le font pour telle ou telle plante, alors que les fleurs se meurent. Voyez ensuite, en imagination, comment les graines sont portées en terre et ce qui arrive à la plante après.

Voyez tout cela non seulement en imagination mais essayez de sentir ce que c'est que d'être une plante à chacun de ces stades. Qu'éprouve-t-on à se pousser hors de la graine? A se frayer un chemin hors du sol pour arriver à la lumière du soleil? Et ainsi de suite.

Une autre technique est celle de la *méditation sur des bulles.* Imaginez que vous êtes assis au fond d'un lac ou d'une rivière paisible. L'eau est propre et claire. Chaque fois qu'une pensée vous vient, «captez»-la dans une bulle d'air et laissez-la monter doucement à la surface de l'eau. Regardez-la monter, laissez-la passer quelques secondes avant qu'elle n'éclate.

Ne faites rien d'autre avec vos pensées – ne les commentez pas, ne les pourchassez pas ni ne les suivez en aucune façon. Prenez-en simplement note et regardez-les monter. Si la même revient plusieurs fois, ne vous laissez pas démonter. Mettez-la chaque fois dans une bulle et laissez-la monter.

Si vous préférez, les pensées peuvent être mises dans des ballons qui s'élèvent lentement dans les airs, ou dans n'importe quoi d'autre qui monte ou passe à côté de vous avant de disparaître.

Vous pouvez aussi essayer la *méditation du silence.* Imaginez que vous vous promenez sur une colline ou une montagne. Il peut y avoir des cours d'eau, des arbres, des oiseaux, des fleurs, des papillons – ce que vous voudrez. Mais, à mesure que vous montez, l'air devient plus tranquille et plus calme. Tous les bruits s'évanouissent.

Au sommet de la colline se trouve un temple, un sanctuaire ou un lieu saint consacré au silence. Ce temple aura la forme et le contour qu'il vous plaira.

Vous entrez dans le temple. Le silence y est total. Aucun son n'a jamais retenti ici. A mesure que vous avancez dans le temple, vous remarquez une boule émettant une faible lumière, chaude mais pas brûlante, brillante mais douce et légère.

Vous pénétrez dans cette boule de lumière silencieuse et vous vous sentez englouti par elle, entouré de toutes parts. Elle vous enveloppe tout entier et coule dans tout votre corps. Restez dans cette boule silencieuse deux ou trois minutes. Ecoutez le silence; sentez la lumière.

Sortez ensuite peu à peu de la boule de lumière, dirigez-vous vers l'entrée du temple et ressortez pour regagner le sommet de la colline. Sentez la brise, écoutez le chant des oiseaux en redescendant lentement la colline.

Une autre possibilité est la *méditation sur une couleur.* Imaginez que vous avez un écran blanc devant les yeux et que vous voyez une tache de couleur apparaître sur cet écran. Vous pouvez décider de la couleur avant de commencer ou attendre qu'une couleur apparaisse.

Vous trouverez probablement cet exercice très difficile et il peut se passer plusieurs jours avant que vous puissiez vraiment voir la couleur dans votre imagination. Une fois que vous y êtes parvenu, vous pouvez commencer à voir la tache de couleur sous certaines formes – disons un triangle. Plus tard, ajoutez un cercle. Mélangez ensuite couleurs et formes – cercle rouge, carré jaune. Essayez des formes plus compliquées.

Hobbies, activités culturelles et activités semblables

Une autre fonction de la relaxation est d'établir un équilibre entre le matériel et le spirituel, le scientifique et l'artistique, le travail et le jeu, la concentration et la détente.

Un excellent moyen d'arriver à cet équilibre est d'avoir des hobbies créateurs et des activités culturelles telles que les beaux-arts, la musique, le théâtre. Vous pouvez jouir de ces activités comme spectateur ou auditeur ou, mieux encore, en y prenant vous-même une part active. Peu importe que vous n'y réussissiez pas encore brillamment; pourquoi ne pas essayer de jouer d'un instrument, de faire des modèles, de peindre, de faire du batik, de paraître sur scène, de chanter, de faire de la céramique, de la photographie ou ce qu'il vous prendra la fantaisie de faire? Presque tous, nous réprimons un besoin de créer qui ne demande qu'à se satisfaire dans une activité.

Si vous ne savez pas par où commencer, voyez, à votre bibliothèque publique, la section des hobbies et de l'artisanat ou voyez ce que vos amis font et quels clubs et sociétés existent près de chez vous.

7.2   Méthode 22: S'accommoder de sa taille et de son apparence physique

Il y a certains aspects de votre apparence physique que vous ne pouvez pas changer. Votre taille, par exemple, votre silhouette (grand et mince, musclé, osseux, rond) ou les traits de votre visage.

Vous pouvez demander: «Et alors? Qui tient à en changer?» La question est tout à fait légitime. Mais, on est surpris de voir combien de personnes voudraient avoir un physique différent si elles le pouvaient. Elles semblent vraiment avoir honte de leur corps, de le détester, ou du moins certaines de ses parties. Mais, comme votre corps ne fait qu'un avec vous, en détester certaines de ses parties revient naturellement à détester certaines parties de vous-même!

Un exercice utile consiste donc à vous accommoder de votre corps, de l'accepter tel qu'il est. Pour cela, vous pouvez commencer par bien vous regarder de la tête aux pieds, en utilisant un miroir si possible. Regardez-vous bien.

Demandez-vous alors: «Y a-t-il une partie de mon corps qui me dise quelque chose?» Vous pouvez le faire en recourant à la méditation (méthode 21). Installez-vous confortablement, fermez les yeux et essayez d'écouter votre corps. Cela peut paraître étrange, mais il y a des chances pour que vous receviez très rapidement une sorte de «message». Vous saisirez ce message plus rapidement si vous le dites à haute voix.

Parfois le message sera: «S'il te plaît, arrête de me détester.» Par exemple, il se peut que votre nez vous dise: «S'il te plaît, arrête de me détester parce que je suis si grand et mets-toi à m'aimer pour le bon travail que je fais pour toi.»

Oui, tout cela semble un peu bizarre! Mais c'est une autre façon d'entrer en rapport avec votre subconscient (méthode 4) et elle donne des résultats. Essayez-la donc!

Votre apparence et l'effet qu'elle a sur les autres

Trop souvent, nous ne nous rendons pas compte de l'effet que notre apparence a sur les autres. Par exemple, si vous êtes très grand, comment pensez-vous que les autres le ressentent et y réagissent?

Le meilleur moyen de le découvrir est de le leur demander. En fait, les autres personnes hésitent beaucoup, souvent, à vous dire ce qu'elles pensent de votre apparence; vous devrez donc les aider à être franches et ouvertes avec vous. Ou bien essayez de voir comment les gens réagissent devant votre taille et votre silhouette. Ou encore, essayez d'imaginer ce que vous éprouveriez et comment vous réagiriez à leur place.

Vous serez peut-être capable, alors, de modifier un peu votre attitude pour faciliter les choses aux autres. Par exemple, si vous êtes très grand, vous pourriez vous asseoir pour parler avec des personnes de moins grande taille de façon à ne pas les accabler. Ou vous pouvez vous tenir à une plus grande distance. Le principal est d'être sensible aux autres et à l'effet que vous produisez sur eux.

Autant que votre corps, votre façon de vous habiller peut avoir un grand effet sur les gens; c'est pourquoi, tâchez de découvrir aussi ce qu'il en est sur ce point.

7.3 Méthode 23: Travailler avec des gens différents de soi

Nous avons tous tendance à voir le monde à travers nos yeux comme si nous étions «normaux» et les autres «différents». Par exemple, si vous êtes un homme, votre façon de voir le monde sera celle d'un homme; il vous sera très difficile d'imaginer comment une femme voit les choses.

Il en va de même pour d'autres formes de «différences» entre les gens. Dans le tableau 8, écrivez dans la colonne de droite ce que vous êtes (pour moi, par exemple, ce serait: masculin, Anglais, âge moyen, chrétien, classe moyenne, employé, bonne santé, marié).

Tableau 8.   Description d'une personne

Sexe
Groupe ethnique
Groupe d'âge
Religion
Classe sociale
Statut professionnel
Santé
Situation matrimoniale

Essayez ensuite de penser à la façon dont ces caractéristiques influent sur votre vue du monde, sur votre comportement. Quelles échelles de valeurs particulières entraînent-elles? Quels avantages? Quels désavantages?

Quels autres groupes votre organisation compte-t-elle (c'est-à-dire en laissant de côté les hommes et les femmes, quels groupes ethniques, groupes d'âge, religions, etc.)? Que savez-vous de leurs façons de voir le monde? Prenant une série de groupes, pourriez-vous examiner et compléter les déclarations suivantes:

a)   les avantages d'être_____ sont_____ ;

b)   les inconvénients d'être_____ sont_____;

c)   en tant que_____, mes préoccupations principales sont_____;

d)   les valeurs que j'ai en commun avec_____ sont_____;

e)   ce que j'aime et n'aime pas chez_____, c'est_____;

f)   je ne voudrais pas être_____ parce que_____.

Les bons gestionnaires – et d'ailleurs les personnes bien formées – acceptent les différences tout en étant conscients de la mesure dans laquelle ils sont soumis aux normes de leur groupe.

7.4   Méthode 24: Travailler selon son tempérament

La présente section est fondée sur une théorie particulière concernant la façon dont nous réagissons à tout, c'est-à-dire aux personnes, aux situations et aux événements. Il y a naturellement d'autres modèles de tempéraments; nous en avons choisi un particulier que nous utilisons souvent dans le travail d'autoformation.

Selon cette théorie, il y a quatre principaux types de réactions appelés tempéraments:

o   le mélancolique;

o   le stable;

o   le vif;

o   l'instable.

En fait, chaque individu abrite en lui un peu de chacun de ces tempéraments. Mais, d'ordinaire, un de ces tempéraments domine, est plus affirmé que les trois autres.

Si vous êtes très enclin à la mélancolie, vous aurez tendance à être maussade, à avoir des accès de dépression, à vous apitoyer sur vous-même, à être pessimiste.

Un tempérament stable se manifeste dans le désir d'une vie tranquille, d'une routine prévisible. Bien que très sensible aux événements, vous resterez calme et maître de vous dans la plupart des situations.

Si votre tempérament se caractérise par une grande vivacité, vous serez «fougueux», plein d'énergie, excité, parlant probablement beaucoup, exprimant votre avis, vous querellant ou luttant avec ceux qui ne sont pas d'accord avec vous. Un caractère emporté, aux réactions rapides.

Enfin, le tempérament instable apparaît comme s'intéressant à toutes sortes de choses sans jamais consacrer à aucune d'elles assez de temps pour la connaître à fond. «Un homme qui met la main à tout mais n'est propre à rien», pour paraphraser un adage anglais qui décrit celui qui va et vient d'une chose à l'autre, ne se rangeant jamais et ne prenant jamais rien au sérieux, une sorte de papillon. Ces gens-là connaissent beaucoup de monde mais on peu de vrais vieux amis.

Tempérament et autoformation

Comme pour nombre d'autres aspects de l'autoformation, il s'agit ici de prendre conscience de votre tempérament et de l'effet qu'il a sur vous. En le faisant entrer dans votre conscient, vous serez probablement plus capable de le dominer, de vous rendre compte de ce qui se passe, de vous prendre en charge.

Par exemple, supposez que vous éprouviez une déception. Si vous avez une forte tendance à la mélancolie, vous ressentirez cet échec pendant des jours. Vous serez déprimé, sans but, apathique. Vous souffrirez et ferez souffrir votre entourage! Mais, si vous vous en rendez compte, il y a beaucoup de chances que vous preniez conscience de ce qui se passe et vous disiez: «Allons, ressaisis-toi. Ce n'est pas la fin du monde. Que ma mélancolie ne prenne pas le dessus.»

Ou prenez un autre exemple. Supposons que vous essayiez d'étudier quelque chose ou de travailler à un des exercices indiqués dans ce livre. Si vous êtes d'une instabilité très prononcée, vous serez incapable de faire une pause pour vous concentrer. Au bout de cinq minutes, vous vous élancerez pour faire quelque chose d'autre ou vous précipiterez pour aller faire visite à un ami. Mais, ici encore, si vous êtes conscient de ce fait, vous arriverez à vous dire: «Allons, arrête d'avoir la bougeotte et fais ce qu'il y a à faire en ce moment.»

Ces exemples sont tous deux négatifs. Mais chaque tempérament a aussi, naturellement, ses aspects positifs. Le tableau 9 montre certains des bons et des mauvais côtés de chaque tempérament. Par exemple, dans le cas de la déception, vous vous aiderez en faisant intervenir un élément de stabilité ou d'instabilité: dans le premier cas, vous vous diriez: «N'importe, ne te tourmente pas, continue.»; dans le second: «Qu'est-ce que ça peut faire; je m'occuperai à quelque chose d'autre.»

Le tempérament dans la vie quotidienne

Un des meilleurs moyens de tenir compte de son caractère est donc d'en être conscient. Quand quelque chose se produit, tâchez de déterminer le côté de votre caractère qui se manifeste dans votre réaction et, si cela n'arrange pas la situation, tâchez de le dominer.

Tableau 9. Tempérament

Tempérament	Sentiments	Effets négatifs des sentiments	Effets positifs potentiels des sentiments
Mélancolique	Expérience intérieure profondément ressentie	Maussade, déprimé, affligé, pessimiste, grognon, toujours à se plaindre	Sympathisant, comprend ce qu'éprouvent les autres, compatissant, écoute bien
Stable	Les sentiments n'influent pas sur les réactions, qui restent calmes la plupart du temps	Paresseux, renfermé, fataliste, non créateur, ennuyeux	Tranquille, réfléchi, consciencieux, fidèle, appliqué, dévoué, excellent administrateur et organisateur
Vif	Réactions extérieures vigoureuses et rapides	Dominateur, veut toujours occuper des postes de responsabilité, pénétré de son importance, enclin à se fâcher, intolérant	Source de force et d'inspiration, bon dirigeant
Instable	Dispersés	Superficiel, changeant, ne s'arrête jamais à quoi que ce soit, ne fait jamais qu'aller et venir	Source de beaucoup d'idées, créateur, spirituel, charmant

Si vous tenez un journal mineur quelconque (méthode 3), vous pouvez essayer de découvrir s'il y a une constante dans la manière dont votre tempérament se manifeste. Change-t-il selon le moment de la journée? Ou selon la nature de la situation? Ou selon que vous vous trouvez avec telle ou telle personne? Vous pouvez pousser plus loin les détails et la précision et établir une grille-répertoire (méthode 12) où vous envisagerez quatre cas correspondant chacun à la prédominance d'un des quatre tempéraments pour voir quels éléments apparaissent dans la colonne «Caractéristiques».

7.5   Méthode 25: Travailler selon son style de gestion

Comme pour les tempéraments, il y a différentes manières de considérer le style de gestion. L'une, courante, consiste à utiliser une gamme de comportements allant de l'autoritarisme à la consultation, à la participation ou au laissez-faire. Toutefois, par souci de cohérence, nous en utiliserons une qui est fondée sur les archétypes retenus au chapitre 1 pour les capacités de l'autoformation et au chapitre 8 «Travailler avec un interlocuteur».

Vous remarquerez que, dans le tableau 10, il y a une colonne indiquant comment le style peut être déformé. Nous sommes trop souvent victimes de ces déformations, nous imaginant que nous sommes extrêmement efficaces. Par exemple, quand il s'agit d'être ferme et énergique, nous devenons agressifs et

Tableau 10. Styles de gestion

STYLE AXÉ SUR	CE STYLE S'IMPOSE ET EST UTILE LORSQUE ...	MAIS PRENEZ GARDE DE DÉFORMER LE STYLE EN...
L'affrontement	● vous avez besoin de vous affirmer, de défendre vos idées ● vous êtes en désaccord avec quelqu'un et avez besoin de le lui dire ● vous voulez faire remarquer à quelqu'un l'inconséquence de ses propos ● vous voulez contester les postulats de quelqu'un ● il y a une initiative à prendre, p. ex. proposer une mesure à prendre	● devenant agressif, recourant à l'intimidation, devenant intolérant, autoritaire, dominateur
L'appui	● quelqu'un a besoin d'être aidé et soutenu ● quelqu'un parle et espère que vous l'écouterez ● vous voulez être tolérant, d'esprit ouvert et patient ● quelqu'un essaie de parler mais n'arrive pas à placer un mot ou a de la peine à s'exprimer	● ayant trop bon cœur ● devenant apathique, renfermé ● étant crédule, vous laissant influencer par quelqu'un
La théorie	● il est possible d'utiliser des théories pertinentes pour expliquer une situation ou aider à résoudre un problème ● vous essayez de généraliser à partir de quelque chose qui s'est passé ● vous essayez de passer un examen	● vous laissant entraîner par des théories, perdant ainsi contact avec les problèmes réels et le bon sens ● utilisant la théorie comme une fin en soi ● courant aux manuels et aux experts pour la solution de chaque problème ● commettant l'erreur de croire que connaissances livresques et sagesse sont la même chose
La pratique	● il est nécessaire de faire quelque chose, pas simplement d'y penser ● on a besoin de solutions pratiques et réalisables	● devenant complètement pragmatique, opportuniste, et recourant toujours à des solutions improvisées, tout d'une pièce ● sous-estimant l'importance de la réflexion ● ne parvenant pas à voir les lignes générales ni à acquérir de la pénétration d'esprit
La planification	● vous avez besoin de faire des plans, de fixer des buts, de penser à l'avenir ● vous avez besoin de calculer les ressources qui vous seront nécessaires pour atteindre vos buts ● vous faites des prévisions et préparez des budgets ● vous avez besoin de prévoir les conséquences et les effets de ce que vous faites	● faisant des plans grandioses qui, en fait, ne sont pas du tout pratiques ● passant tout votre temps à réfléchir à l'avenir, refusant ainsi de voir ou négligeant le présent
Les bilans	● il s'est passé quelque chose dont vous voulez juger pour voir si les choses vont bien pour vous ● vous achevez un projet ou une tâche et voulez voir ce que vous en avez appris ● quelqu'un veut avoir votre appréciation sur son travail	● vivant dans le passé, de sorte que vous ne regardez jamais le présent ou l'avenir; vivant sur les réalisations passées, ou étant tracassé par des échecs et disant «si seulement nous avions, vous aviez...» ● devenant victime d'un sentiment de culpabilité
L'intégration	● utile tout le temps; vous êtes conscient de ce qui se passe autour de vous; êtes sensible aux besoins de la situation et des gens concernés; êtes plein d'humour et de bonne humeur; servez de médiateur entre gens en conflit; maintenez l'équilibre entre l'affrontement et le soutien, entre la théorie et la pratique, entre le passé et le présent	● partant de l'idée que vous devez toujours occuper des postes de responsabilité ● manœuvrant les gens pour satisfaire vos besoins

cherchons à intimider. Dans notre désir d'être justes et ouverts, nous devenons sans volonté et crédules.

Aucun style de gestion n'est le «meilleur». Ou plutôt, le «meilleur» est celui qui convient le mieux à un moment donné. C'est à vous de juger lequel s'impose compte tenu de la situation et des personnes concernées.

Un bon gestionnaire doit donc être capable de voir le style qui s'impose à un moment donné et d'agir en conséquence.

En fait, la plupart d'entre nous avons un style qui domine, qui se manifeste plus naturellement que les autres. Si vous considérez le tableau 10, pouvez-vous voir dans quel style vous paraissez réussir le mieux? Celui qui vous vient le plus naturellement? Le genre de situation aux besoins de laquelle vous êtes le mieux capable de répondre?

Un excellent exercice serait de vous donner à vous-même des points – sur 10 par exemple – à propos de chaque style. Sept fois la note 10 serait parfait – mais peu probable!

Puis, parlez de la question à des amis et des collègues. Expliquez-leur ce que sont les styles et demandez-leur de vous donner des notes. Comparez leurs résultats avec les vôtres pour avoir une idée de ce qu'ils pensent de vous!

C'est là, bien entendu, un exemple spécial de ce que vous pouvez apprendre des autres, comme on l'a vu au chapitre 2. Un exercice subtil consisterait à tracer une grille répertoire (méthode 12) en utilisant comme exemples des situations où vous avez procédé selon chacun des styles.

Il se peut que certaines circonstances ou certaines personnes fassent ressortir différents styles chez vous. Ce pourrait être particulièrement le cas pour les altérations de style. Essayez de conserver un relevé des cas où elles se produisent et pourquoi. Qui était concerné? Que s'est-il passé?

Vous pouvez aussi chercher à vous instruire de ces altérations auprès d'autres personnes. Expliquez en quoi elles consistent et demandez à ces personnes comment et quand elles les voient apparaître dans votre comportement.

COMMENT LES AUTRES PEUVENT VOUS AIDER À VOUS FORMER

8

Comme on l'a dit au chapitre 1, les autres peuvent vous être très utiles dans votre autoformation. On ne se trompe probablement pas en disant qu'ils jouent un rôle capital.

La façon peut-être la plus évidente dont ils peuvent vous aider est de vous apporter leur soutien et de vous écouter leur parler de vous-même et de votre formation. Mais ce qu'il y a d'étonnant, c'est que ce sont souvent des gens que nous n'aimons pas, qui ne nous soutiennent pas et qui peuvent jouer un rôle essentiel dans notre formation. Cela parce que ces gens nous mettent au pied du mur en nous donnant la possibilité d'essayer de faire preuve de patience, de tolérance, de compréhension d'autrui (ce qui est relativement facile avec les gens qu'on aime).

Ainsi, bien que les amis aient une grande importance pour votre formation, essayez de trouver d'autres personnes, moins agréables, qui vous sont en quelque sorte «envoyées» pour vous mettre devant une tâche à laquelle travailler pour votre formation.

La plupart du temps, c'est dans la vie quotidienne que nous voyons du monde. Mais vous pouvez vouloir établir des relations de formation spéciales, relations soit individuelles, soit de groupe. Le présent chapitre les examine en détail:

26) travailler avec un interlocuteur;

27) travailler en groupe.

8.1 Méthode 26: Travailler avec un interlocuteur

Bien que ce ne soit pas indispensable vous pouvez certainement avoir beaucoup à gagner en vous liant avec quelqu'un qui travaille aussi à sa formation, étant entendu que vous vous aiderez mutuellement.

Pour vous aider mutuellement, vous et votre partenaire devez convenir de vous voir régulièrement. Il est recommandé de le faire une fois par semaine, par quinzaine ou par mois. Nous suggérons aussi que vous fixiez à vos réunions une durée d'une heure au minimum (cela ne vous donne d'ailleurs qu'une demi-heure à chacun); mieux vaudrait deux heures.

De quoi voulez-vous parler? De toutes sortes de choses: de tout ce qui peut aider à votre formation. Si vous vous êtes fixé un programme précis d'autoformation, vous pouvez parler de vos progrès. Parlez:

o   de ce que vous avez noté dans votre journal personnel;

o   de quelque chose que vous avez lu;

o   de ce qui s'est passé quand vous avez tenté quelque expérience personnelle;

o   de certains incidents critiques;

o   etc., etc.

Vous pouvez aussi vous mettre simplement à parler de vos progrès. «Qu'y a-t-il de neuf et de bon dans votre autoformation?» pourrait être un moyen – et positif – d'ouvrir la discussion.

Il est important d'être confortablement installé et sans façon lorsque vous travaillez avec un interlocuteur. Cela signifiera d'ordinaire que vous devrez être assis; soyez assis de manière à vous faire face et être assez près l'un de l'autre. Qu'il n'y ait aucun meuble (bureau ou table) entre vous.

Choisir son partenaire

Qui pourrait faire un bon interlocuteur? L'important est que ce soit une personne qui tient à travailler à sa formation ainsi qu'à vous aider dans la vôtre. De votre côté, il faut naturellement que vous soyez décidé à l'aider. Vous pourriez trouver un collègue ou un ami désireux de se joindre à vous dans cette entreprise. Mais peut-être préférerez-vous quelqu'un que vous ne connaissez pas encore; à bien des égards, et c'est peut-être surprenant, la chose est plus facile (du moins au début) avec une personne qui ne vous est pas bien connue.

Le problème, ici, est évidemment: «Comment trouver une personne qu'on ne connaît guère?» Vous pouvez vous adresser à un directeur de la formation s'il y en a un dans votre organisation. Sinon, d'en parler fréquemment peut vous mettre en rapport avec quelqu'un que cela intéresse aussi.

Il peut y avoir grand avantage à travailler avec un membre de votre famille qui vous est proche, par exemple votre conjoint. Mais il faut bien voir que cela est souvent très difficile à cause des liens qui vous unissent, propre à gêner une écoute objective qui soit un soutien.

Une écoute objective et obligeante

Car c'est ce processus – l'écoute objective et obligeante – qui est au centre du travail avec un interlocuteur. Ce point est des plus importants. Nous pouvons l'illustrer en réfléchissant à votre propre expérience.

Pour cela, pensez à trois ou quatre personnes qui vous ont aidé dans le passé. Notez ensuite, sur une feuille de papier ou dans votre journal personnel (méthode 1), ce qui, en eux, les a rendues utiles. Il est extrêmement probable qu'elles vous ont été utiles parce que révèlent des notes comme:

o elles m'ont manifesté de la sympathie;

o elles ont montré de l'intérêt pour moi;

o elles me respectaient;

o elles continuaient de m'aimer même quand je faisais des fautes ou quelque chose de stupide;

o elles m'ont parfois provoqué ou tenu tête, mais d'une manière qui montrait qu'elles continuaient à me respecter.

Vous aurez aussi noté qu'elles vous ont donné des conseils. Mais il est surprenant que cela ne se produise que rarement. Il semble que les gens vraiment utiles donnent rarement des conseils. Et s'ils le font, c'est d'une manière telle que nous nous sentons capables de rejeter leurs conseils si nous en avons envie. En un sens, il ne s'agit pas tant de donner des conseils que de nous aider à trouver nos propres solutions.

C'est donc ici la clé du gendre d'aide dont nous parlons lorsque nous envisageons de travailler avec un interlocuteur. Ce que vous devrez attendre de lui... et ce que vous devez lui offrir en échange, c'est notamment:

o un soutien, un engagement, du respect;

o écouter ce que l'autre pense, ressent et veut;

o écouter sans porter de jugement;

o de l'empathie, le sentiment que vous comprenez ce que l'autre éprouve, que vous pouvez presque éprouver la même chose;

o s'abstenir de conseils et de suggestions sur ce que l'autre devrait ou ne devrait pas faire (encore qu'il puisse être utile de l'aider à trouver des solutions possibles).

Vous pouvez essayer de mettre au point deux manières d'écouter et les employer lorsqu'elles sont indiquées. Nous pouvons les appeler écouter «sans répondre» et écouter «et répondre».

Celui qui *écoute sans répondre* ne réagit en aucune façon à ce que dit son interlocuteur. Supposons que c'est vous qui écoutez. Avant de commencer, vous convenez d'un temps de parole, mettons dix minutes. Ces dix minutes sont données à votre partenaire pour qu'il parle. Vous montrez alors votre intérêt et votre engagement en regardant votre partenaire en face. Votre attention reste ainsi fixée sur lui au lieu de s'égarer et de s'attacher à vos propres pensées.

Ainsi, vous êtes très attentif et écoutez. Vous ne répondez en aucune manière. Vous ne dites rien, ne faites aucun signe, n'émettez aucun grondement, rien. Vous écoutez. Même si votre interlocuteur fait une pause ou s'arrête, vous ne lui parlez ni ne l'encouragez. Vous restez simplement et tranquillement bien attentif, attendant, écoutant, jusqu'à ce que le temps soit expiré (dix minutes ou ce qui aura été convenu). Vous intervertissez alors les rôles.

Cela peut paraître contraire aux habitudes; et ce l'est. Cela ne ressemble pas à notre façon quotidienne d'écouter avec échange de propos. Mais l'expérience montre que la méthode est des plus efficaces en ce qu'elle permet à celui qui a la parole d'aller au fond du sujet ou de la question dont on parle. Le simple fait d'avoir un auditeur attentif, qui collabore – même s'il est apparemment inactif – peut être très utile en permettant à quelqu'un de penser tout haut, d'examiner ses pensées, ses sentiments et ses désirs, et d'en faire part.

Cela est particulièrement vrai pendant les silences. En ne parlant pas, celui qui écoute donne à celui qui parle le temps de faire un tri dans sa tête, de clarifier ses idées, de prendre conscience de ses sentiments, de bien voir ce qu'il désire. Aussi, bien que ce soit difficile au début, n'ayez pas peur des périodes de silence; Ne tombez pas dans l'erreur de les remplir en réagissant d'une manière ou d'une autre, bien qu'il soit très souvent tentant de le faire pour montrer combien vous êtes désireux d'«aider».

Mais il sera parfois utile de suivre la méthode consistant à *écouter et répondre*. C'est ici qu'il faut se souvenir de la méthode recommandant de ne pas donner de conseils. S'il faut éviter d'une manière générale de donner des conseils, quel genre de réaction pourrait bien être utile?

En fait, nous pouvons utiliser, pour classer les manières d'écouter et de répondre, un moyen simple mais utile donné sous forme de graphique dans la figure 24. Cette classification est voisine de celle qui a été utilisée pour les qualités que suppose l'autoformation au chapitre 1, figure 5. Pouvez-vous voir le rapport?

Le tableau 11 indique un certain nombre de façons de répondre dans chacune des sept catégories. Comme il y a parfois danger à être trop soucieux de manifester sa sollicitude ou son opposition, ou tout autre sentiment, nous indiquerons aussi quelques précautions à prendre.

Vous noterez que la plupart des façons d'aider utilisent des questions, non des affirmations. En outre, ces questions sont de celles qui restent «ouvertes», c'est-à-dire qu'on ne peut y répondre par oui ou par non mais elles demandent à être développées; elles encouragent votre partenaire à parler. A ce propos,

Figure 24. Sept manières d'écouter

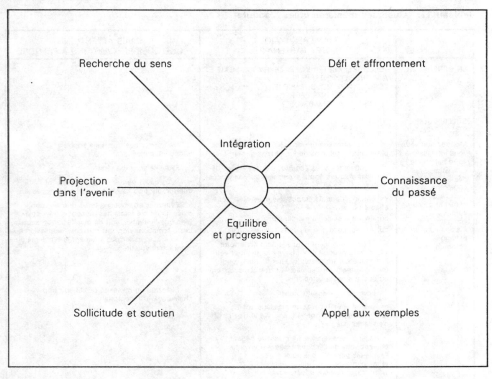

mentionnons que la plupart des questions contenues dans les questionnaires plus longs figurant dans les annexes sont aussi de celles qui restent ouvertes. Vous pouvez prendre une idée de la façon dont on pose des questions ouvertes en consultant ces questionnaires.

Ecoutez tout le temps ce que votre partenaire:

1) pense:

    Observez ce qu'il dit: sa manière de penser (est-elle logique?). Reste-t-il dans les généralités ou entre-t-il dans beaucoup de détails? Cela concerne-t-il entièrement le passé? Ou le présent? Ou l'avenir? De qui d'autre est-il question? De qui n'est-il pas question? De quoi ne parle-t-il pas? Quelles images ou métaphores emploie-t-il? Comment ses phrases sont-elles assemblées?

2) ressent:

    Soyez attentif à tout ce qui est dit mais aussi, ce qui est peut-être plus important, à tout signe physique: gestes, tons de voix, posture, respiration, maniérismes.

COMMENT LES AUTRES PEUVENT VOUS AIDER

Tableau 11. Quelques manières utiles d'écouter

AXE D'ÉCOUTE	MANIÈRES D'AIDER VOTRE PARTENAIRE	MAIS ATTENTION! QUELQUES PRÉCAUTIONS À PRENDRE
EN GÉNÉRAL	TOUJOURS: PRÊTER L'OREILLE À VOUS-MÊME ET À VOTRE VOIX INTÉRIEURE EST-CE VOTRE MOI SUPÉRIEUR OU VOTRE MOI INFÉRIEUR QUI EST AUX COMMANDES?	
SOLLICITUDE ET SOUTIEN Montrez que vous vous intéressez à votre partenaire, que vous le respectez, que vous comprenez assez bien ce qu'il pense et ce qu'il éprouve. «Empathie». Il s'agit ici d'un échange communications.	– Prêtez attention; soyez assis en face de votre partenaire, assez près de lui, et regardez-le. – Montrez que vous écoutez, par des signes de tête, des sourires, toute expression du visage, des «hum». – Emettez de brefs propos tels que: «Cela vous affecte-t-il, vous effraie-t-il...?», ou: «A votre place, je me sentirais...», ou: «Je suppose que, de ce fait, vous voulez...» – Si cela vous vient naturellement dans votre situation, il pourrait être utile de lui montrer votre sollicitude par un geste: lui tenir la main, lui mettre la main sur l'épaule, le serrer dans vos bras ou quelque geste semblable. – Envoyez un message positif. – Quand vous recevez un message positif, reconnaissez-le de bonne grâce. Ne le niez pas, n'en faites pas fi. – Quand vous recevez un message négatif, efforcez-vous de l'écouter (même si vous ne l'acceptez pas). Par exemple: ● ne contestez pas une critique; ● ne soyez pas sur la défensive; ● ne rispostez pas par une critique ou en contre-attaquant; ● écoutez et répondez en utilisant les mêmes mots, même si vous n'acceptez pas le jugement lui-même, p. ex. «peut-être ai-je été impoli...» «peut-être suis-je souvent en retard...» – Si vous estimez la critique justifiée, suggérez-en d'autres, p. ex. «pouvez-vous penser à d'autres cas où je l'ai fait?»	– Ne le fixez pas trop, cela pourrait le décontenancer. – Faites-le sans exagérer. – Vous devez garder un juste milieu: ni interrompre trop souvent ni ne pas parler assez. – Evitez les affirmations telles que «A votre place, je ne me ferais pas de soucis pour cela». Bien que l'intention soit de manifester un soutien, ces affirmations donnent souvent l'impression que vous ne comprenez pas vraiment le problème de votre interlocuteur. – Evitez qu'un message positif soit trop chaleureux et réconfortant.
DÉFI ET AFFRONTEMENT Un défi ou un affrontement peuvent parfois être utiles. Tâchez cependant de le faire d'une manière montrant que vous ne vous en prenez pas à la personne de votre partenaire. Les messages négatifs sont aussi visés ici.	– Cherchez les inconséquences et les contradictions dans ce que dit votre partenaire – Faites-lui observer soit directement soit en posant des questions telles que «comment pouvez-vous dire à la fois a et b?», ou: «comment a et b s'accordent-ils?» – De même, cherchez les contradictions entre les paroles et les actes de votre partenaire (qui dirait, par exemple: «Je ne suis pas fâché» en criant ou en frappant sur la table). – Soyez de nouveau attentif aux contradictions entre les pensées, les sentiments apparents et les désirs ou intentions de votre partenaire. – Posez des questions comme: «Pouvez-vous être sûr de ce que vous venez de dire? Comment?» Vérifier les postulats. – Faites ressortir les différences entre les désirs et les intentions. – Envoyez un message négatif qui montre autant que vous le pouvez votre soutien. Par exemple: ● parlez à la première personne, dites: «Je me suis senti attaqué lorsque vous...» plutôt que «Vous m'avez attaqué...»; ● donnez deux ou trois exemples montrant ce que vous n'aimez pas.	– Examinez vos raisons de contester. Est-ce pour aider votre partenaire? Ou pour satisfaire un de vos besoins (p. ex. de puissance; ou de vengeance; ou pour exhaler votre mauvaise humeur)? – Notez le ton de votre voix; observez vos actes, vos gestes et votre posture. Prenez garde d'être trop agressif, trop menaçant. Tâchez d'affronter d'une manière qui implique quand même un soutien. Montrez que vous aimez toujours votre partenaire en tant que personne. – Répondez par un message, non par une riposte violente. Montrez que vous continuer d'aimer et d'estimer votre partenaire en tant que personne même si ce qu'il a fait ne vous plaît pas – critiquez le comportement non la personne.

Tableau 11 (suite)

AXE D'ÉCOUTE	MANIÈRE D'AIDER VOTRE PARTENAIRE	MAIS ATTENTION! QUELQUES PRÉCAUTIONS À PRENDRE
DÉCOUVRIR LE SENS Interpréter ce qui s'est passé	– Posez des questions telles que: ● cela arrive-t-il souvent? Le pensez-vous, ou l'éprouvez-vous souvent? Quand? ● voyez-vous une constante dans tout cela? ● qu'est-ce que cela signifie pour vous? ● qu'est-ce que cela (ou cette personne) vous dit? ● pourquoi ces choses vous arrivent-elles?	– Gardez-vous de voir à tout prix la situation de votre partenaire selon vos interprétations ou les significations que vous lui trouvez. – Surveillez les rationalisations. Si vous en percevez une, envisagez de passer à l'affrontement.
DEMANDER DES EXEMPLES	– Posez des questions telles que: ● pouvez-vous donner des exemples de ce qui s'est passé? du genre de personnes avec qui vous avez des difficultés? du genre de choses dont vous craignez qu'elles se produisent? de ce que vous éprouvez lorsque...?	
CONNAÎTRE LE PASSÉ	– Posez des questions telles que: ● cela s'est-il déjà produit? Quand? ● avez-vous déjà pensé ou éprouvé cela? Quand? Que s'est-il passé? ● avez-vous déjà voulu faire cela? Quand? Que s'est-il passé?	– Evitez de rester prisonnier du passé, par exemple de dire «si seulement...» ou de faire de vains reproches.
VOIR L'AVENIR	– Posez des questions telles que: ● que voulez-vous faire à ce sujet? ● quelles en seront les conséquences pour vous, pour les autres? Qu'est-ce que vous et eux penserez et éprouverez? ● quels obstacles prévoyez-vous? Que pouvez-vous faire à ce sujet? ● quelles autres possibilités y a-t-il?	– Evitez de vivre dans l'avenir, par exemple «tout ira bien lorsque...» (il n'y a donc qu'à attendre) ou «je ne peux rien faire tant que...» Que pouvez-vous faire maintenant pour faciliter cet avenir?
ÉQUILIBRE INTÉGRATION ET PROGRESSION	Il s'agit essentiellement ici d'avoir conscience de vous-même et de ce qui se passe pendant que vous écoutez: – de noter vos pensées, vos sentiments, vos désirs et vos intentions (voir aussi «écouter votre moi», (méthode 4); – de rester objectif; de ne pas laisser vos pensées, sentiments et désirs influer sur la façon dont vous écoutez votre partenaire; – de noter ce que votre partenaire pense, ressent et veut faire au sujet de la séance de conversation elle-même; – de sentir lequel des six autres axes d'écoute apparaît nécessaire et d'y passer; – de poser des questions telles que «qu'allons-nous faire maintenant?» (c'est-à-dire dans cette séance de conversation); – d'alléger un peu la situation en riant, en parlant d'un sujet sans grande importance mais intéressant l'un et l'autre.	 – Pourquoi est-elle nécessaire? Quels besoins satisfera-t-elle? – N'exagérez pas ou vous finirez par passer à côté des véritables questions.

3)   veut:

N'oubliez pas la différence entre un désir («ce que je voudrais faire») et une intention («ce que je vais faire»).

Si possible, ayez aussi conscience de vous: que pensez-vous, que ressentez-vous et quelles sont vos intentions pendant que vous écoutez et parlez?

Le tableau 11 a peut-être l'air un peu intimidant! Ne vous laissez pas rebuter. Il est très difficile de bien écouter et cela demande beaucoup de pratique. Votre interlocuteur et vous pouvez quand même vous rendre réciproquement beaucoup de services bien avant d'avoir maîtrisé ces techniques de l'interrogation. Ainsi, bien que ces techniques soient extrêmement utiles et que l'on vous recommande d'essayer de les utiliser, le plus important est que votre partenaire et vous-même vous engagiez à vous aider l'un l'autre.

8.2   Méthode 27: Travailler en groupe

Divers formateurs ont mis au point une série de méthodes pour le travail en groupe (par exemple les groupes T, la formation en équipe, les groupes de rencontres, etc.). Mais pour l'autoformation au sein des organisations, notre expérience préfère les trois genres de groupes décrits dans la présente section qui sont en général valables et efficaces. Ce sont les groupes de formation-action, les groupes d'assistance mutuelle et les groupes d'autoformation. Ils sont, pour l'essentiel, assez semblables, aussi est-il commode de les examiner ensemble.

Qu'ont-ils en commun? Tout d'abord, chacun compte un assez petit nombre de participants − d'ordinaire entre six et dix, huit est probablement le nombre idéal. Ils peuvent avoir un formateur professionnel pour les aider (groupes d'autoformation, groupes de formation-action dirigés par un formateur). Un autre trait commun est qu'ils se réunissent régulièrement. La fréquence de ces réunions dépend des désirs des participants mais elle est d'habitude d'une fois par mois environ. La durée des réunions varie aussi − ici encore selon les désirs des participants et selon les possibilités. On considère que quatre heures sont le minimun absolu normalement exigé pour une réunion bien que l'on doive viser, si c'est possible, à six ou sept heures (souvent, la première réunion, lorsque le groupe débute, est plus longue et dure par exemple deux ou trois jours).

Dans chaque catégorie de groupes, les membres décident s'ils se concentreront sur des sujets concernant le travail ou élargiront leur horizon et se donneront la possibilité de travailler sur n'importe quel aspect de leur formation (travail, maison, famille, activités sociales, l'ensemble de leur vie).

Quoi qu'ils choisissent, le processus est commun: un travail de recherche sur les questions fait séparément ou avec d'autres membres, souvent complété par du travail personnel entre les réunions. A la réunion suivante, chacun parle du travail personnel qu'il a fait et écoute les observations, les renseignements, les idées, les critiques, etc. des autres participants.

Dans un groupe de formation-action, chaque membre choisit une question en rapport avec le travail ou la vie en général et s'y consacre, au cours des réunions et entre elles.

Pour les autres catégories de groupes, il est possible de choisir dans une gamme d'autres stratégies. Les membres peuvent par exemple:

o   pratiquer quelques activités d'autoformation (comme celles dont il est question dans ce livre). Ils peuvent le faire ensemble (à deux, en sous-groupes ou avec le groupe tout entier) ou entre les réunions et en discuter lorsqu'ils se retrouvent;

o   choisir un sujet commun (par exemple «écouter») et le travailler;

o   discuter des événements marquants de leur vie;

o   travailler à de petits projets de formation-action au cours de conversations sur des questions intéressant à court terme leur vie personnelle;

o   examiner leur comportement dans le groupe et en faire profiter leur formation;

o   employer toutes ces méthodes à la fois.

Dans chaque catégorie, le groupe doit passer par plusieurs phases. Bien qu'il ne soit pas très exact de dire que ces phases se succèdent dans un ordre précis, elles se suivent plus ou moins dans l'ordre suivant:

1)   *Constitution.* Recrutement des membres; définition de la nature et du but; indication de la fréquence, du lieu et de la durée des réunions.

2)   *Confiance.* Les membres doivent arriver à se faire confiance et à se sentir capables de parler d'eux-mêmes.

3)   *Conscience du but.* Etude approfondie du but que se propose le groupe, vue claire des raisons qui animent chaque membre, fixation de certains objectifs personnels.

4)   *Engagement.* Volonté de travailler à vos propres problèmes, de respecter les autres membres et de les aider à s'occuper de leurs problèmes.

5)   *Stratégie générale.* Résulte des points précédents.

6)   *Application de la stratégie.* Travailler sérieusement aux questions, chercher à atteindre les buts que se proposent les membres.

7)   *Examen périodique des progrès accomplis.* Comment avançons-nous?

8)   *Dissolution.* Mettre fin à l'activité du groupe de façon constructive.

9) *Prise de décisions.* Elle est à la base des autres phases et est une question permanente. Régler le point de savoir comment le groupe décide de ce qu'il va faire ensuite.

10) *Processus fondamentaux.* Certains processus clés tels qu'écouter, comprendre les pensées, les sentiments et les intentions, communiquer et recevoir des renseignements sont d'une importance vitale.

On trouvera dans l'annexe 7, sur le déroulement de ces phases, d'autres idées encore destinées aux formateurs et aux assistants chargés de diriger un groupe de formation-action ou un groupe d'autoformation. Si vous essayez de créer un groupe d'assistance mutuelle (ne supposant pas la présence d'un formateur professionnel), vous trouverez aussi cette partie très utile.

Comment décider de faire ou non partie d'un groupe?

Un des facteurs décisifs est naturellement l'existence d'un tel groupe. Si vous travaillez pour une organisation qui a un fonctionnaire chargé de la formation ou un formateur de gestionnaires, vous pouvez lui demander d'en créer un dans le cadre d'un programme général de formation à la gestion. Une institution de formation extérieure ou une association de management peut aussi diriger un groupe.

Vous pouvez essayer de créer votre propre groupe – soit un groupe d'assistance mutuelle sans formateur professionnel, soit avec un formateur ou un consultant pris ailleurs. Il vous faudra trouver entre cinq et neuf autres personnes prêtes à s'engager à se réunir régulièrement, probablement pendant un minimum de six mois, peut-être pendant un ou deux ans.

Peut-être estimez-vous que vous n'êtes pas quelqu'un à faire partie d'un «groupe». Autrement dit, vous préférez travailler seul. Il n'y a aucun mal à cela. Mais vous voudrez peut-être considérer qu'apprendre à travailler avec d'autres personnes peut être conçu comme un but de l'autoformation. Après tout, les gestionnaires travaillent toujours avec d'autres personnes et par leur intermédiaire!

Ainsi, ces catégories de groupes ne sont pas indispensables. Cependant, si un nombre convenable de gestionnaires peuvent se réunir et sont suffisamment résolus à aboutir, un groupe peut certainement constituer un utile complément à un programme d'autoformation individuel.

ENCOURAGEMENT DE L'AUTOFORMATION À LA GESTION AU SEIN D'UNE ORGANISATION

9

Il doit être clair maintenant que les besoins de formation des gestionnaires diffèrent d'une personne à l'autre. De même, ce qu'une organisation a besoin de faire pour lancer et soutenir un programme d'autoformation des gestionnaires dépendra beaucoup de l'organisation elle-même.

Il nous est donc impossible de déclarer valablement pour tous les cas: «Faites ceci et la formation s'ensuivra.» Mais ce que nous pouvons, c'est vous donner quelques idées à étudier dans votre organisation.

Si vous lisez cette partie du livre, vous êtes probablement:

○ un cadre supérieur qui s'intéresse à la formation des gestionnaires ou en est chargé;

○ un spécialiste de la formation à la gestion, de la formation en général ou de l'administration du personnel (dans l'organisation);

○ un gestionnaire qui entend exécuter son propre programme d'auto-formation;

○ un spécialiste du dehors, tel qu'un formateur de gestionnaires ou un consultant désireux de créer un programme dans une organisation qui est sa cliente.

Quelle que soit la fonction que vous remplissez, vous trouverez utile d'envisager l'établissement d'un programme sous deux angles principaux, à savoir:

○ les avantages pour l'organisation;

○ la motivation des gestionnaires à travailler à leur autoformation.

Dans ce chapitre, nous examinerons donc la question de ces deux points de vue: suivra une étude approfondie de toutes les ressources et conditions permettant d'encourager l'autoformation.

9.1 L'autoformation des gestionnaires et ses avantages pour votre organisation

Pour qu'un plan soit accepté et soutenu, il faut qu'on y voie un avantage pour l'organisation et quelque chose d'utile pour les gestionnaires pris individuellement. Les effets varieront naturellement selon les circonstances mais l'expérience montre que les programmes d'autoformation peuvent présenter un certain nombre d'avantages pour l'organisation, comme il est dit dans la préface.

On se rend compte de plus en plus que pour obtenir ces avantages il est nécessaire d'adopter une stratégie qui se concentre sur les questions et les problèmes réels et effectifs auxquels chaque gestionnaire et l'ensemble de l'organisation ont à faire face. Cela ne veut pas dire que les méthodes classiques n'ont pas leur place ici mais qu'elles doivent être utilisées parallèlement à une stratégie de l'autoformation.

Concilier les besoins de l'organisation et ceux de chaque gestionnaire

Nous avons vu (au chapitre 2) comment l'autoformation d'une personne repose sur le jugement qu'elle porte sur elle-même. Dans le contexte d'une organisation, nous avons donc besoin d'un diagnostic la concernant.

Un vaste champ s'ouvre ici, qui déborde le cadre du présent ouvrage. Nous pouvons néanmoins en donner, comme en résumé, quelques indications.

Quand on recense les besoins d'une organisation, il est bon de disposer d'un certain cadre où noter les données recueillies et qui servira à une analyse ultérieure. Le tableau 12 montre un cadre simple, souvent utilisé dans les organisations qui adoptent une méthode d'autoformation. Le cadre retient quatre aspects principaux de l'organisation. L'annexe 5 indique quelques façons utiles d'obtenir des données pertinentes sur ces divers aspects.

Chaque organisation est évidemment unique à de nombreux égards et aura ses propres problèmes et questions en matière de formation. Vous devrez travailler constamment à les relever et à en prendre conscience.

Mais, en même temps, il peut être utile d'avoir présents à l'esprit certains problèmes et questions typiques qui se posent dans la plupart des organisations. Ces aspects de l'organisation (concernant surtout sa taille et son âge) sont indiqués dans le tableau 13. Vous pouvez utiliser ce tableau comme guide général quand vous êtes en face de questions qui se posent dans votre organisation et que vous essayez de les concilier avec les exigences de la formation des gestionnaires. De cette façon, les questions influeront sur les ressources disponibles, les processus introduits, les relations ainsi que sur les buts et les politiques que vous établissez.

Tableau 12. Liste des points sur lesquels porter un diagnostic dans une organisation

Aspect de l'organisation	A considérer: Qu'est-ce qui va bien ou mal? Qu'est-ce qui a besoin d'être changé ou développé?
IDENTITÉ	Nature générale de l'organisation; valeurs culturelles (traditions, normes, pratiques); conception générale de la gestion – comment sont prises les décisions (selon les exigences de chefs puissants, les règlements et procédures, les tâches à accomplir ou chaque individu).
RELATIONS	Style de leadership; fonctions et rôles; comment ceux-ci sont répartis et dans quelle mesure ils sont compris; relations entre groupes et services; relations à l'intérieur des groupes et des services; relations avec la clientèle, les propriétaires, le public.
PROCESSUS	Production, fabrication et services; administration; systèmes; prise de décisions; formation et acquisition des connaissances; nature, fréquence et qualité des réunions; circulation des informations.
RESSOURCES PHYSIQUES ET MATÉRIELLES	Matériel et installations, instruments, outillage mécanique; locaux, superficie; climat, environnement.

La figure 25 montre l'ensemble des processus de l'analyse organisationnelle. Les données sur les quatre aspects ainsi que les questions qui apparaissent dans la phase de développement de l'organisation ont été mises ensemble. Une grande partie de ces données paraîtront menaçantes et troublantes à diverses personnes et il est important que l'on s'efforce de travailler sur ces données d'une façon permettant de prendre conscience du phénomène et de résoudre les conflits qui pourraient bien surgir à ce stade.

A cette condition, on dégagera les problèmes et les questions auxquels l'organisation doit faire face. Ceux-ci devront alors être discutés avec les gestionnaires, qui examineront ce que les intéressés pensent, éprouvent et veulent faire à ce sujet. A ce moment-là, aussi, les questions d'autoformation individuelle pourront intervenir dans la discussion.

Il en sortira un certain nombre de priorités et de plans pour un programme qui fournira des idées et des suggestions quant à l'autoformation des gestionnaires et favorisera le développement de l'organisation.

Il est clair que lorsque vous établirez vos priorités, objectifs, plans et politiques, vous aurez à considérer d'autres incidences de la formation, notamment quant au matériel et aux processus ainsi qu'aux autres aspects de la formation et de la gestion des ressources humaines tels que le recrutement, la rémunération et la formation systématique.

Tableau 13.   Problèmes typiques que la formation pose aux organisateurs

Phases et caractéristiques des organisations	Problèmes typiques et questions de formation se posant souvent à ces organisations
Mise en train d'une organisation nouvelle (soit comme entrepreneur indépendant, soit comme nouveau service, fonction ou centre de production dans une entreprise existante)	Comment le promoteur voit-il l'organisation envisagée? Que veut-il lui faire faire, quelle image d'elle veut-il qu'elle donne, comment veut-il qu'elle se sente?

Comment passer de cette vue aux actes?

Quelles ressources sont nécessaires? Comment les obtenir? |
| Une petite organisation, dirigée par une personne dynamique, douée de l'esprit d'entreprise et d'un tempérament de pionnier (d'ordinaire une entreprise indépendante mais pouvant devenir partie d'une organisation existante, plus grande) | Rester petite ou s'agrandir?

En cas d'expansion, le dirigeant et ses nouveaux collègues devront apprendre à travailler ensemble.

Plus tard, les problèmes de succession. Qui pourra remplacer le dirigeant quand il ne sera plus là? |
| L'organisation (indépendante ou faisant partie d'une organisation plus vaste) devient plus complexe | On commence à avoir des doutes sur le dirigeant-pionnier. On est mécontent de ses façons autoritaires, on met en question sa compétence. Lorsque les temps changent, il ne suffit plus de compter «faire comme on a toujours fait».

Le besoin se fait sentir de mettre de l'ordre dans le chaos en recourant systématiquement à des méthodes de gestion scientifique et à des méthodes rationnelles de planification, d'exécution et de contrôle.

Ce peut être fait par un travail de normalisation, par des règlements, des procédures, des définitions d'emploi.

En même temps des postes de spécialistes sont créés (par exemple en matière de vente, d'administration, de recherche, de personnel). |
| Une organisation qui pratique depuis quelque temps cette méthode logique et scientifique de gestion | Problèmes de rigidité; la bureaucratie s'installe. |

Phases et caractéristiques des organisations	Problèmes typiques et questions de formation se posant souvent à ces organisations
	On est moins motivé; apathie. Des rivalités se créent entre différents secteurs de l'organisation.
	Nécessité, pour surmonter ces problèmes, de développer le sens des rapports sociaux, la formation au travail en équipe, les possibilités de formation individuelle.
Phases et caractéristiques des organisations	Problèmes typiques et questions de formation se posant souvent à ces organisations.
Une organisation qui a perdu contact avec l'extérieur (c'est le cas souvent d'organisations qui vieillissent et s'agrandissent, en particulier des bureaucraties)	Nécessité constante d'améliorer les relations internes, de les rendre aisées, axées sur la formation.
	Nécessité de modifier les relations avec la clientèle. Renoncer à en prendre une vue malsaine (on voit presque en elle un «ennemi», qu'il faut cajoler, intimider ou tromper) et arriver à une vue salutaire (voir en elle des collaborateurs, des partenaires, engagés dans une entreprise avantageuse pour les deux parties).
	Nécessité d'apporter les mêmes changements dans les relations avec d'autres intéressés extérieurs (par exemple propriétaires, autorités, communauté locale).
Une organisation en voie de disparition (c'est-à-dire qui a échoué au point de faire faillite ou dont la mission première n'a plus de raison d'être ou ne peut plus être accomplie)	Est-il possible de faire quelque chose pour réparer l'échec ou donner à l'organisation une nouvelle mission, de nouvelles perspectives et ainsi de la remettre sur pied?
	Sinon, que peut-on faire pour rendre la fermeture aussi positive et peu pénible que possible? Quelles sont les obligations morales des divers intéressés (salariés, propriétaires, clients)?

Figure 25. Le processus d'analyse organisationnelle

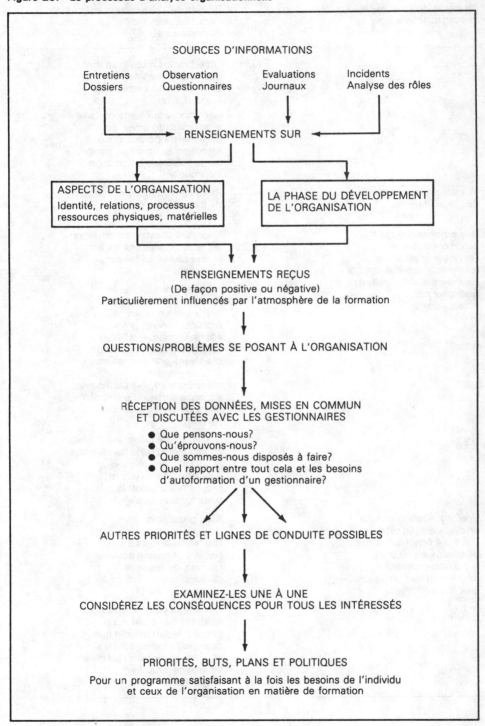

SOURCES D'INFORMATIONS

| Entretiens | Observation | Evaluations | Incidents |
| Dossiers | Questionnaires | Journaux | Analyse des rôles |

RENSEIGNEMENTS SUR

ASPECTS DE L'ORGANISATION
Identité, relations, processus
ressources physiques, matérielles

LA PHASE DU DÉVELOPPEMENT
DE L'ORGANISATION

RENSEIGNEMENTS REÇUS
(De façon positive ou négative)
Particulièrement influencés par l'atmosphère de la formation

QUESTIONS/PROBLÈMES SE POSANT À L'ORGANISATION

RÉCEPTION DES DONNÉES, MISES EN COMMUN
ET DISCUTÉES AVEC LES GESTIONNAIRES

- Que pensons-nous?
- Qu'éprouvons-nous?
- Que sommes-nous disposés à faire?
- Quel rapport entre tout cela et les besoins d'autoformation d'un gestionnaire?

AUTRES PRIORITÉS ET LIGNES DE CONDUITE POSSIBLES

EXAMINEZ-LES UNE À UNE
CONSIDÉREZ LES CONSÉQUENCES POUR TOUS LES INTÉRESSÉS

PRIORITÉS, BUTS, PLANS ET POLITIQUES
Pour un programme satisfaisant à la fois les besoins de l'individu
et ceux de l'organisation en matière de formation

Atmosphère ou climat de la formation

Vous verrez dans la figure 25 que la mesure dans laquelle les informations seront traitées dans un esprit constructif ou destructif (c'est-à-dire amèneront une réaction du moi supérieur ou du moi inférieur de l'organisation, au sens donné à ces termes au chapitre 2) est surtout fonction de la nature de l'«atmosphère de la formation» dans l'organisation.

Cette atmosphère est un sentiment général qui existe dans l'organisation et qui naît en particulier des aspects de ses relations et de son identité touchant la formation.

C'est une décision significative de la «culture» interne de votre organisation, culture qui peut être orientée vers la formation et le changement ou, au contraire, conservatrice et essentiellement négative à l'égard de toute tentative de changer le statu quo et des diverses initiatives prises ou suggérées par des gestionnaires ou des travailleurs.

Il n'y a aucun moyen d'améliorer rapidement cette culture et de la rendre positive et favorable à la formation. Mais vous voudrez peut-être, pour commencer, penser au style de gestion dominant (chapitre 7). Dans quelle mesure est-il une aide? Pouvez-vous faire quelque chose pour l'améliorer?

Changer le style qui prévaut sera naturellement loin d'être facile. Ce sera peut-être possible, à la longue, grâce à des talents de gestion, à la formation, à des discussions, à des programmes de développement en équipe, à des exercices de clarification des fonctions et de négociation, et grâce aussi à d'autres manières d'aider les gens à renseigner et à être renseignés sur ce qu'ils pensent les uns des autres. Mais ce serait une illusion de croire qu'on aurait là autre chose qu'un processus lent et difficile.

Cela ne veut pas dire que vous ne devez pas essayer. Loin de là. Mais nous regrettons de dire que vous ne devez pas vous attendre à vous engager sur une voie qui ne demande ni peine ni effort et conduit au succès immédiat grâce à un procédé magique. Il vous faudra persévérer longtemps, vous exposer souvent à des déceptions, au découragement et même à de l'hostilité et des oppositions caractérisées. Mais cela peut donner des résultats et cela en donne, lentement mais sûrement, dans toutes sortes d'organisations en diverses parties du monde.

Il est très bon de commencer par faire bien comprendre aux gens ce qui se passe, quelle est la situation actuelle. Vous pouvez faire un exercice de communication de renseignements en découvrant systématiquement ce que les autres pensent et sentent, en en faisant ensuite un résumé écrit (par rapport) ou en en faisant part dans une série de réunions et de discussions.

Il y a plusieurs moyens de le faire. L'un consisterait à faire le tour des gestionnaires, à parler avec eux et à leur demander comment ils voient et ressentent la situation. Ce moyen présente l'avantage de faire participer les intéressés, mais prendrait aussi beaucoup de temps. Un autre moyen serait de demander aux gestionnaires de remplir un questionnaire (voir annexe 6).

Dans tout cela il s'agit des relations internes. Les relations avec l'extérieur peuvent aussi fournir un soutien et favoriser la formation; ainsi avec des écoles locales, des groupes communautaires, des organismes professionnels, des collègues d'autres organisations.

Un moyen très important de créer des relations de formation consiste à recourir à des *groupes de formation* spéciaux. Cette expression s'applique aux trois types de groupes mentionnés au chapitre 8. Rappelons qu'il s'agit des groupes de formation-action, des groupes d'autoformation et des groupes d'assistance mutuelle.

Il est possible de créer des groupes pour les gestionnaires d'une même organisation; ou bien de créer un groupe «ouvert à tous». Il est utile que leurs membres représentent plusieurs âges et degrés d'ancienneté bien que la présence d'un chef et de son subordonné immédiat dans un même groupe puisse parfois créer des difficultés. Les groupes de ce genre peuvent aussi être utiles pour des catégories déterminées de gestionnaires (par exemple, ceux qui suivent un cours par correspondance, les nouveaux arrivés, les femmes, ceux qui approchent de la retraite). On trouvera à l'annexe 7 des détails sur la façon de diriger ces groupes.

L'expérience a montré que ces groupes apportent de nombreux avantages et à ceux qui y participent (capacités accrues, prise de conscience, compréhension, etc.) et, ce qui est tout aussi important, à leurs organisations.

9.2 Rendre les gens motivés à l'égard d'un programme d'autoformation à la gestion

Si vous voulez que les gens soutiennent un programme d'autoformation à la gestion et y participent, vous devrez vous assurer qu'ils y voient un avantage pour eux-mêmes et pour l'organisation. En fait, vous avez déjà noté (figure 25) que les discussions sur la planification doivent tendre à établir un lien entre les besoins de l'organisation et les besoins individuels.

Les personnes concernées par un programme d'autoformation

Il est utile, ici, d'examiner les diverses personnes (y compris vous-même) qui participeront probablement à un programme d'autoformation et qui en éprouveront les effets. Vous pouvez tracer un graphique comme celui de la figure 26, qui n'est qu'un exemple; dans votre graphique, vous devrez inclure les personnes – ou les groupes – de votre organisation qu'il est à propos d'y faire figurer.

Figure 26. Les personnes concernées par un programme d'autoformation

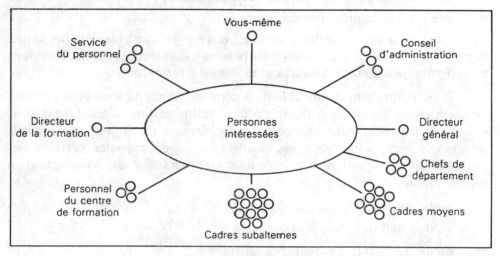

Une fois que vous aurez déterminé ces personnes ou ces groupes, vous pourrez commencer à réfléchir aux moyens par lesquels ils peuvent influer sur le programme.

Dans chaque cas, essayer de déterminer:

o   Que voudraient-ils qu'un programme réalise? Qu'est-ce qu'il représente pour eux?

o   Que ne voudraient-ils pas qui se produise?

o   Qu'éprouveraient-ils devant un programme de ce genre? Quels sentiments positifs? Quels sentiments négatifs?

o   Que feraient-ils peut-être pour apporter leur aide à un programme et le soutenir?

o   Que feraient-ils peut-être pour entraver et affaiblir un programme?

Vous n'aurez probablement pas encore tous les renseignements en main et il est important de vous donner les moyens de les obtenir. Il vous sera possible de parler avec nombre des intéressés mais vous ferez plus probablement mieux de prendre, sur l'ensemble du programme, l'initiative d'une discussion s'étendant à toute l'organisation.

Comment vous le ferez dépendra des méthodes qui sont à votre disposition dans l'organisation pour mettre les intéressés au courant et avoir leur opinion. Ces méthodes peuvent être:

o   des réunions de mise au courant (renseignements donnés aux chefs de service qui informent à leur tour leurs subordonnés);

o   des réunions spéciales avec des groupes de gestionnaires;

o   de brèves réunions spéciales de travail;

o   des séances spéciales d'évaluation individuelle;

o   une mise au courant par mémoires écrits.

Quelle que soit la méthode utilisée, vous chercherez à bien étudier le lien entre les besoins de l'organisation et les besoins individuels, et par quels moyens un programme d'autoformation peut répondre à ces besoins.

Il est naturellement possible qu'à certains moments vous vous heurtiez au scepticisme ou même à l'hostilité de certains gestionnaires. Le meilleur moyen de procéder dans ce cas est probablement de donner des conseils personnels, mais vous trouverez peut-être utile de rappeler certains des avantages que des gestionnaires exécutant un programme d'autoformation en retirent, notamment:

o   qu'ils acquièrent de nouveaux talents;

o   qu'ils améliorent leur performance;

o   qu'ils donnent le meilleur d'eux-mêmes;

o   qu'ils obtiennent de l'avancement;

o   qu'ils sont contents d'eux-mêmes;

o   qu'ils sont plus appréciés.

Il se peut aussi que vous rencontriez d'autres obstacles. Par exemple, certains peuvent être jaloux parce qu'ils sentent que d'autres sont l'objet d'une attention spéciale injustifiée; certains intérêts (par exemple dans d'autres méthodes de formation à la gestion) peuvent être menacés. Et ainsi de suite.

Prendre note de ce que pensent et sentent les divers intéressés sera du moins un premier pas vers la solution de ces problèmes bien que vous aurez certainement besoin de procéder à de nombreuses conversations et discussions pour tout débrouiller.

Cela veut donc dire que vous aurez à amener, d'une manière ou d'une autre, les divers gestionnaires à préciser leurs besoins. Evidemment, vous pouvez utiliser pour cela certains des moyens examinés dans le présent livre (chapitre 2 et annexes) soit en les fournissant simplement aux gestionnaires, soit en utilisant en même temps certaines des méthodes de mise au courant susmentionnées. On trouvera à l'annexe 8 un questionnaire général à utiliser pour un grand nombre de gestionnaires et qui permet d'obtenir un tableau général des besoins individuels dans l'ensemble de l'organisation.

Influence de l'âge sur les questions touchant la formation des gestionnaires

Les besoins des différents gestionnaires varieront évidemment dans une mesure considérable selon les intéressés – selon leurs points forts, leurs points faibles, leurs intérêts, etc.

On a montré cependant qu'avec les années les gestionnaires ont souvent des problèmes de formation qui tiennent à leur âge et s'ajoutent à leurs problèmes particuliers. Autrement dit, il y a un lien entre l'âge d'un gestionnaire et sa formation.

Ce que nous allons examiner maintenant, ce sont quelques-unes de ces difficultés, en rapport avec l'âge, qu'éprouvent nombre d'organisations européennes. Il sera peut-être nécessaire de les modifier un peu pour les adapter à une culture locale. Nous espérons toutefois qu'elles vous serviront à travailler avec les gestionnaires de votre organisation aux problèmes de leur autoformation.

De 21 à 28 ans

Les jeunes gestionnaires pénètrent dans le monde et volent de leurs propres ailes. Ils veulent découvrir ce qu'ils sont, ce dont ils sont capables, comment ils progressent; ils ont besoin d'être remarqués. Il leur est donc nécessaire de faire toutes sortes d'expériences – en évitant de se spécialiser trop tôt – et d'être régulièrement et fréquemment renseignés.

De 28 à 35 ans

Ayant maintenant plus d'assurance, les gestionnaires de ce groupe d'âge ont besoin d'approfondir les rapports qu'ils ont avec leur travail (et avec les gens). C'est donc le moment de se spécialiser et d'assumer davantage de responsabilités. C'est aussi une période d'analyse, de réflexion rationnelle et logique. C'est pourquoi le travail d'analyse est particulièrement indiqué parce qu'il exige la capacité de réfléchir objectivement et de planifier. On peut aussi les encourager à faire de même pour planifier leur vie en prenant l'initiative d'analyser leurs buts, leurs activités, leurs points forts et leurs points faibles et à faire des plans d'avenir.

De 35 à 42 ans

C'est souvent une période agitée pendant laquelle ils doutent souvent d'eux-mêmes et se demandent ce qu'ils font. «A quoi sert ce genre de travail?» Entend-on dire couramment: «l'idée de passer encore vingt ans à faire ce travail suffit à me rendre fou». Ils ont besoin d'être aidés à surmonter ces sentiments, qui sont d'ailleurs souvent niés ou réprimés, masqués par des accès d'activité frénétique ou, parfois, par des changements souvent malheureux que, dans l'égarement, ils apportent à leur travail ou à leur mode de vie. Il faut faire un bilan, étudier soigneusement la situation, examiner en détail ce qu'a été leur vie jusque-là, essayer de donner un sens au passé et au présent et créer ainsi la base sur laquelle construire l'avenir. Prendre part aux problèmes, conseiller, travailler en groupe (biographie comprise), tout peut être utile dans ces cas. Il s'agit en effet de répondre à des questions telles que: «Qu'est-ce qui est important pour vous maintenant? Que voulez-vous faire? Comment, à votre avis, l'organisation peut-elle évoluer et quelles possibilités cela vous offrira-t-il? Quelles vues nouvelles pouvez-vous découvrir? Comment pouvez-vous rendre les choses plus intéressantes, plus stimulantes, plus satisfaisantes?»

De 42 à 49 ans

A partir de maintenant, beaucoup dépend de la mesure dans laquelle la période de 35 à 42 ans s'est bien passée. Si l'on a résisté à la tempête, la période suivante peut être le début d'un nouvel enthousiasme. Il n'y a plus besoin d'avoir des réalisations à son actif, de faire bien, de remporter des succès. Au lieu de cela, il y a le désir de faire quelque chose d'utile, d'apporter sa contribution à l'organisation, aux autres, à la communauté. C'est un peu comme si, jusque-là, le gestionnaire avait reçu et qu'il commence maintenant à vouloir rendre. Il a peut-être besoin qu'on l'aide à décider de ce qu'il doit rendre, de la contribution qu'il est seul à pouvoir apporter. Pour ceux qui n'ont pas pu surmonter la crise qui a précédé, il y a souvent un problème plus profond: ils deviennent durs, sur la défensive, cyniques, arrogants, dominateurs – d'une manière générale, d'un commerce désagréable! Il faura beaucoup les aider pour qu'ils deviennent à bout de cette situation – non pas tant en leur faisant front qu'en les aidant à bien voir ce qu'ils font et quel en est l'effet sur leur entourage. Les deux groupes devront ainsi commencer à accepter le fait qu'ils ne vivront pas toujours – encore que le premier groupe aura sans doute moins de peine que le second à accepter la chose.

De 49 à 56 ans

A ce point, ceux qui ont bien mûri seront capables d'apporter une précieuse contribution à l'organisation et aux autres personnes, l'expérience leur ayant donné à la fois la sagesse, la compassion et l'art de vivre avec autrui. Il faut leur donner toutes facilités de faire usage de ces qualités. Mais il restera difficile de travailler avec ceux qui ne se sentent pas débarrassés de leurs doutes et de leurs craintes. On peut envisager de les tenir à l'écart des autres personnes: leur présence pourrait en effet avoir sur celles-ci un effet fâcheux ou démoralisateur; ils pourraient, par exemple, être déplacés à des secteurs de travail spécialisé très limités. Mais ils pourraient continuer à être soutenus et conseillés. A cet âge, en outre, il faut sérieusement penser aux questions de santé.

L'approche de la retraite

Deux questions principales se posent maintenant: transmettre vos connaissances à un tiers et préparer votre retraite. L'un et l'autre seront plus faciles à ceux qui ont bien mûri qu'à d'autres, qui envisageront plus probablement cette perspective comme une terrible menace. De ce fait, ils peuvent fort bien nier le changement imminent ou n'y pas penser du tout. Cela signifie naturellement qu'ils ne montreront aucun empressement à faire quoi que ce soit pour préparer d'autres personnes à leur travail. Quand arrive le jour, ils se sentent probablement désorientés. Aussi est-il important d'aider les gens de ce groupe d'âge à chercher d'autres activités à exercer une fois à la retraite.

L'autoformation encouragée par la direction

Les membres de l'organisation doivent sentir que l'autoformation n'est pas considérée seulement comme leur affaire personnelle, mais comme un effort que souhaite et apprécie la direction. Les gestionnaires qui s'engagent dans un programme d'autoformation doivent souvent fournir un plus grand effort que nombre de leurs collègues et y consacrer une très grande partie de leur temps libre. Ils doivent voir que cet effort et ces sacrifices rapportent: satisfaction au travail, carrière, rémunération, nouvelles occasions d'apprendre et autres avantages semblables. La direction doit favoriser l'autoformation, non seulement celle des individus (en les aidant à élaborer et à exécuter un programme qui ait un sens et pour l'intéressé et pour l'organisation), mais aussi en tant qu'élément de sa politique générale (déclarations de politique générale, allocation de ressources, cas individuels que l'on propose en exemples aux autres, etc.).

9.3 Créer les moyens et les conditions nécessaires à l'autoformation

Nous allons voir maintenant certains des moyens et certaines des activités qui peuvent aider à instituer l'autoformation dans votre organisation.

Moyens matériels

Quelles sortes de moyens matériels pouvez-vous mettre à la disposition des gestionnaires en vue de leur autoformation?

Ceux qui s'imposent avec le plus d'évidence sont peut-être les livres; on pourra créer une sorte de bibliothèque intérieure – même modeste. Le genre de livres dépendra des circonstances. Les ouvrages spécialisés peuvent vous donner une bonne idée de la gamme des livres disponibles.

Outre les livres, il pourrait être très utile que vous vous abonniez à quelques périodiques. Non seulement ils peuvent être précieux pour maintenir les intéressés au courant, mais les gestionnaires pourraient être encouragés à écrire dans ces publications dans le cadre de leur formation. D'autre part, on publie de plus en plus de périodiques qui sont probablement mieux adaptés à la situation locale que certains des livres étrangers.

Des publications occasionnelles, telles que des documents et des rapports, peuvent aussi être réunis et circuler.

Les «instruments didactiques» méritent une mention spéciale. Certains se présentent sous la forme de livres (le présent ouvrage est à bien des égards un tel instrument). D'autres sont des classeurs à feuilles mobiles ou des recueils du même genre. Beaucoup contiennent de la documentation audiovisuelle.

La caractéristique principale de ces instruments est qu'ils contiennent des textes et des exercices proposés aux gestionnaires. Leur principal inconvénient est qu'ils sont destinés à des gens de culture européenne ou américaine. Les grandes organisations seraient peut-être capables de produire du matériel leur convenant particulièrement; des institutions nationales pourraient aussi préparer des instruments convenant aux besoins des organisations locales ou en adapter à ces besoins.

Vous pouvez aussi constituer des collections d'exercices, d'activités, de listes et de textes d'orientation en utilisant un système de classement simple. Ce genre de recueils peut être extrêmement utile.

Il est bon de tenir à jour une collection de brochures et de prospectus relatifs à des cours pour indiquer ceux qui sont offerts, les conditions d'admission, les frais.

En ce qui concerne les techniques modernes, on commence à disposer d'un certain nombre de programmes d'ordinateurs conçus pour l'autoformation. Avant toutefois de vous engager dans cette dépense, qui peut être très élevée, il serait bon que vous étudiez soigneusement ce qu'offrent d'autres systèmes.

Enfin, une autre des ressources matérielles, très importante, ce sont les locaux – une pièce ou des pièces où les gestionnaires peuvent passer tranquillement du temps à travailler à leur formation, seuls ou en groupes. Ils peuvent évidemment le faire dans des bureaux ordinaires, mais ils y seront probablement dérangés. Ainsi, quelques pièces – ou une seule si c'est tout ce qui est possible – où l'on n'est pas interrompu, confortablement meublées (sans luxe), climatisées si c'est nécessaire, peuvent être extrêmement utiles. Le milieu (température, bruit, humidité) peut aussi agir sur la faculté d'apprendre et de se former.

Créer des processus de formation

Par processus de formation, nous entendons tout ce qui peut être fait pour promouvoir la formation.

Le matériel décrit dans la section précédente peut servir de base à toute une activité de formation. Vous pouvez donc encourager les gestionnaires à lire des livres, à pratiquer les activités indiquées dans les instruments didactiques (notamment dans le présent volume), etc.

Vous aurez à décider de quelle façon les encourager. Dans une certaine mesure, cela dépendra du soutien que vous recevrez pour l'autoformation, du degré d'empressement des gestionnaires. Vous pourrez aussi avoir à mettre les intéressés au courant, à les former pour ainsi dire, quant à ce qui est mis à leur disposition et à la manière de s'en servir. Nous y reviendrons plus loin.

Au chapitre 8, nous avons examiné les méthodes d'autoformation faisant intervenir des tiers. Il est donc très utile de mettre les gens en rapport les uns avec les autres. Un formateur de gestionnaires, par exemple, se trouve souvent au centre d'un réseau de personnes s'intéressant à la formation. Il peut donc être en mesure de connaître des gens qui peuvent s'entraider. Peut-être un gestionnaire voudra-t-il acquérir certaines connaissances techniques sur un certain sujet; mettez-le en rapport avec quelqu'un qui a de vastes connaissances en la matière. Ou bien des gestionnaires s'intéressant à un sujet ou une question qui les touche tous peuvent être présentés les uns aux autres pour un échange d'idées ou pour créer un groupe (chapitre 8). Ou encore quelqu'un peut avoir des difficultés au travail; ici encore, mettez-le en rapport avec un autre gestionnaire qui s'entend bien à ce genre de choses. L'idéal serait naturellement que les gens s'adressent aux autres de leur propre initiative. Mais il se peut bien qu'ils aient besoin d'y être aidés au début, quitte à être encouragés à le faire spontanément.

Cela nous amène à l'activité des moniteurs et des conseillers, dont ces réunions impliquent la présence. Certaines des qualités requises pour s'acquitter de ces fonctions vitales sont indiquées au chapitre 8.

Le travail des moniteurs et des conseillers peut être réellement fondamental dans un programme général d'autoformation. Par exemple, ils peuvent intervenir:

o   pour répondre à des besoins précis en matière de connaissances et de capacités;

o   pour aider à la solution de difficultés particulières, transformer des problèmes et des crises en occasions de formation;

o   pour jouer un rôle dans les systèmes d'évaluation;

o   pour parfaire d'autres activités de formation, par exemple lorsque quelqu'un revient d'un cours ou après que certains autres exercices ou activités de formation ont été accomplis;

o   lorsque quelqu'un se trouve en face de tâches nouvelles (par exemple en cas de mutation ou de détachement).

Outre qu'il consiste parfois à fournir des connaissances particulières à orienter, le travail du conseiller joue un rôle capital lorsqu'il s'agit d'aider le gestionnaire à réfléchir à ses expériences, processus essentiel de la formation, comme on l'a vu au chapitre 1. Et ce qui est tout aussi important, il apporte un soutien et permet des rapprochements, deux conditions nécessaires et inséparables des talents et qualités que demande la formation.

Propice aux contacts, le travail dans un réseau peut servir à la communication de renseignements. Par exemple, un formateur de gestionnaires peut agir à peu près comme un «découvreur de talents», à l'affût de postes vacants et de personnes dans d'autres parties de l'entreprise, personnes susceptibles d'être mutées à l'intérieur de l'entreprise et d'être ainsi mises à même de faire un meilleur usage de leurs capacités. Vous pouvez aussi aider un gestionnaire à prendre contact avec d'autres personnes pour connaître leur opinion sur un cours qu'elles ont suivi ou compendium qu'elles ont utilisé.

Un système bien réglé de mutations, rotations de postes, détachements et projets à court terme peut beaucoup contribuer à la formation.

Parmi les processus semblables, on mentionnera la participation à des groupes et comités de travail, les visites à des consommateurs, à la clientèle, aux fournisseurs, et les liens avec des organismes extérieurs tels que les organisations communautaires. Cette dernière méthode est de plus en plus en faveur, les organisations voyant que non seulement elle peut grandement faciliter la formation du gestionnaire concerné mais encore qu'elle répond à un besoin très réel de la communauté locale.

Un autre organisme extérieur est l'institution professionnelle. Les gestionnaires peuvent être encouragés à faire partie de ces institutions et à prendre une part active à leurs activités. Offrir aux succursales locales l'usage de ce que vous pouvez matériellement leur offrir pour leurs réunions (par exemple, locaux et matériel) rendra sans doute de grands·services.

N'oublions pas de mentionner la création de cours comme un des processus de l'autoformation. Les grandes organisations peuvent avoir les leurs mais les gestionnaires suivront plus souvent, peut-être, des cours à l'extérieur.

Quelles sortes de cours de brève durée sont-elles en rapport avec notre sujet? Cela dépend naturellement des besoins des intéressés. Vous pouvez cependant organiser – ou rechercher – des cours sur:

o   les aspects techniques du travail;

o   les capacités de gérer;

o   les qualités personnelles nécessaires pour être un gestionnaire efficace.

On pourra s'inspirer du présent livre pour certains de ces cours, qui peuvent lui emprunter plusieurs exercices et activités. Vous noterez que certains de ces cours peuvent s'inscrire dans le cadre de systèmes plus traditionnels de formation en classe, la principale différence étant la part qu'y prennent les gestionnaires eux-mêmes en décidant de la formation qu'ils veulent suivre. Ainsi, autoformation et formation traditionnelle peuvent et même doivent se compléter l'une l'autre.

Une autre stratégie consiste à faire figurer les activités d'autoformation dans d'autres cours. Comme c'est plutôt ce que feront les organismes extérieurs (par exemple, les institutions), on en parlera plus en détail au chapitre 10. Vous pourrez très bien vouloir introduire quelques cours spéciaux sur l'auto-formation dans un programme général d'initiation et d'exécution. L'annexe 9 donne quelques idées là-dessus.

Une autre stratégie très utile consiste à créer un bon système d'évaluation. Au chapitre 2, nous avons vu la différence entre le jugement porté par les autres et le jugement porté sur soi-même, et nous sommes arrivés à la conclusion que, d'ordinaire, le jugement porté par les autres n'aide pas beaucoup à la formation. On peut toutefois essayer de combiner les deux et porter un jugement commun pour lequel le gestionnaire reçoit l'aide d'un tiers.

Vous aurez probablement à décider si l'entretien dont l'objet est de porter un jugement est lié ou non à un examen de la rémunération. Comme il s'agit d'encourager les gestionnaires à parler franchement non seulement de leurs points forts, mais aussi de leurs points faibles, ils pourraient se sentir gênés si les questions de salaire étaient soulevées à cette occasion. C'est pourquoi, aussi, bien que l'autre personne qui porte un jugement puisse très bien être le chef immédiat, il peut y avoir avantage à ce que cette autre personne soit quelqu'un d'un peu plus éloigné dans la hiérarchie, par exemple un cadre supérieur d'un autre service ou un spécialiste de la formation. Cela peut rendre la situation plus neutre, ce qui peut être un avantage. En revanche, le supérieur immédiat est naturellement celui qui en sait beaucoup sur le travail de l'intéressé.

Une autre question de politique générale est que vous aurez besoin de réfléchir à la question de savoir s'il convient que l'évaluation soit consignée par écrit. Dans l'affirmative, quels points seront notés? Ici encore, les gestionnaires peuvent se sentir gênés s'ils pensent que leurs points faibles figureront dans leurs dossiers personnels. Un compromis acceptable serait peut-être de noter qu'un jugement a été porté, que les points forts ont été discutés, et de consigner les mesures prises d'un commun accord.

Comment l'évaluation peut-elle être présentée? Elle peut se borner à passer en revue le travail accompli au cours des six ou douze mois précédents. On peut aussi demander aux parties de remplir un questionnaire. Par exemple, une grande organisation, considérant ses besoins, s'intéresse à certaines qualités qu'elle attend d'un gestionnaire efficace interrogé (annexe 2). Au lieu d'un questionnaire proprement dit, les gestionnaires se donnent l'une des trois notes (bonne, moyenne, basse) pour chacune des douze qualités. L'appré-ciateur donne de son côté des notes au gestionnaire et ils se réunissent ensuite pour discuter de leurs évaluations et étudier les points forts et ceux qui demandent à être améliorés.

Quelle que soit la méthode utilisée, il est important de faire en sorte que ce soit un exercice positif. Lorsqu'on souligne les points faibles, leur constatation doit être considérée comme une occasion d'avoir à faire mieux et de se former; il ne faut pas voir en eux des défauts honteux et incurables. La discussion doit se terminer par un accord sur ce qui demande à être amélioré et ce que les deux parties peuvent faire pour y aider. Pour planifier les mesures d'assistance qui conviennent, il faut trouver ce qui est possible et faisable, et cela prend passablement de temps. Ainsi, l'«épisode de l'évaluation» peut bien entraîner une série de réunions et de discussions.

QUE PEUVENT FAIRE LES INSTITUTIONS DE GESTION POUR ENCOURAGER L'AUTOFORMATION? 10

Nous nous sommes principalement occupés jusqu'ici des personnes et des organisations employant des gestionnaires. Dans le présent chapitre, nous allons examiner la manière dont les institutions de formation à la gestion peuvent encourager et soutenir l'autoformation.

Il y a naturellement plusieurs espèces d'institutions de formation à la gestion. Elles ont différents genres de programmes et s'adressent à différents secteurs et niveaux de la formation. Certaines se spécialisent dans la formation, d'autres offrent toutes sortes de services (recherche, consultations, etc.).

Ce chapitre ne s'adresse pas à une catégorie particulière d'institutions de formation. Il se propose de présenter un certain nombre d'idées et de suggestions sur ce que peut faire une institution. Il vous appartiendra de décider de ce que votre institution devrait faire et comment vous devriez utiliser l'autoformation pour améliorer la qualité de vos programmes et services et pour aider vos clients dans un domaine nouveau.

10.1   Politique générale de l'institution

Tout d'abord, il est utile de considérer l'autoformation par rapport à la conception que votre institution se fait de la formation à la gestion et par rapport à vos objectifs. La notion d'autoformation telle qu'elle apparaît dans ce livre est-elle conforme à ce que vous essayez de réaliser? Les effets pratiques de votre programme peuvent-ils être plus étendus si vous entreprenez de promouvoir l'idée d'autoformation? Pouvez-vous apporter dans votre programme des améliorations touchant spécifiquement l'autoformation? Votre personnel sera-t-il d'accord et vous suivra-t-il dans vos efforts tendant à mieux marquer l'aspect «autoformation» de vos activités?

Ces questions et d'autres semblables doivent être posées. Par exemple, certains enseignants et formateurs peuvent trouver qu'une institution de formation à la gestion n'a que faire de l'autoformation des gestionnaires et qu'insister davantage sur l'autoformation irait à fins contraires car les services de l'institution seraient moins demandés. Il peut être utile que votre institution discute avec son personnel qualifié de ce que signifie exactement l'auto-formation, comment il est possible de l'harmoniser avec les autres activités de l'institution et comment elle peut ajouter aux résultats que donnent les séminaires de formation, les consultations, la recherche orientée vers l'action, la formation-action et d'autres méthodes en usage dans votre institution.

A un moment donné, vous pourrez trouver utile de définir votre attitude à l'égard de l'autoformation et du rôle que votre institution entend y jouer dans le cadre de sa politique générale. Bien entendu, pareille déclaration de politique générale restera simplement des mots si vous n'aidez pas les membres de votre personnel à l'appliquer dans leurs activités.

Vous pouvez aussi voir dans l'autoformation non seulement quelque chose de profitable pour vos clients – les gestionnaires et les équipes de gestionnaires des organisations. Votre propre personnel peut en retirer de grands avantages! D'une manière générale, l'autoformation peut beaucoup aider à améliorer la formation des enseignants, des formateurs, des consultants et des chercheurs en matière de gestion. Les membres de votre personnel trouveront aussi qu'il est plus facile d'encourager et de soutenir l'autoformation s'ils la pratiquent eux-mêmes.

10.2   Enseignement et formation

Le travail d'enseignement et de formation que vous accomplissez en tant qu'institution consistera principalement à faciliter aux gens l'emploi des matériels d'autoformation, à donner des cours et à conseiller des individus.

Pour ce qui nous concerne, nous pouvons diviser les cours en quatre catégories, à savoir:

o   brefs cours d'introduction à l'autoformation (un jour);

o   cours de plus longue durée sur l'autoformation (par exemple cinq jours);

o   cours de brève durée sur certains aspects spécifiques de l'autoformation;

o   autres cours touchant l'autoformation considérée comme processus et méthode.

L'annexe 9 donne un aperçu de deux de ces cours (d'un jour et de cinq jours) consacrés à l'autoformation.

S'agissant des aspects spécifiques de l'autoformation, une masse de cours peuvent être organisés. Par exemple, chacun des chapitres 4 à 8 rassemble des thèmes et des sujets pouvant faire l'objet d'un cours – organisé autour des activités dont il y est question.

Il peut surtout être très utile d'introduire l'autoformation dans des programmes existants parce qu'elle pourrait apparaître alors plus acceptable à des gestionnaires qui seraient peut-être hésitants ou sceptiques devant un cours spécialement conçu pour l'autoformation.

Comment le faire? L'expérience suggère deux moyens. L'un consiste à introduire un certain nombre d'heures sur l'autoformation (par exemple des heures consacrées à des activités mentionnées dans ce livre) parmi un certain nombre d'heures consacrées à un sujet donné. En même temps, un cours sur un sujet donné peut offrir à des gestionnaires l'occasion de se former si on demande à un ou deux d'entre eux de consacrer une ou plusieurs heures à traiter d'une question qu'ils connaissent bien.

Mais il est évident que vous devrez penser à travailler avec eux pour préparer une heure de ce genre, peut-être à leur donner quelques instructions sur les principes fondamentaux d'un enseignement et les capacités qu'il requiert.

L'autre moyen est d'introduire les méthodes d'autoformation dans l'enseignement donné dans d'autres cours, centrés, eux, sur un sujet. Cela peut se faire:

o en rapportant le sujet aux questions qui se posent dans la vie des participants, en amenant les intéressés à commencer par les questions puis en les aidant pour les théories et les sujets inscrits au programme. Cela exige nécessairement plus de souplesse qu'on n'en trouve normalement dans les cours donnés sur un sujet;

o en créant une atmosphère amicale dans l'étude, en encourageant les participants à prendre des risques, à faire part de leurs incertitudes, en montrant clairement que les erreurs sont nécessaires et qu'on s'y attend;

o en encourageant l'étude des questions et des problèmes sous toutes leurs faces;

o en aidant les participants à penser de façon créatrice, cela en les poussant à chercher des idées et des solutions inhabituelles et inattendues;

o en procédant par des questions et en encourageant les participants à faire de même; les questions doivent appeler des réponses nuancées et révélatrices, et doivent amener l'élève à penser et à scruter des idées plutôt qu'à réciter simplement des faits et des définitions;

o en insistant sur le fait que la bonne méthode d'apprendre consiste à considérer les problèmes, les questions, les théories et les idées dans leur ensemble, leur totalité, plutôt que compartimentés en fragments isolés;

o en créant une atmosphère où l'on porte un jugement sur soi, qui amène l'intéressé à sentir qu'il apprend sous sa propre responsabilité et à prendre conscience de sa valeur.

Un exemple du Nigéria

Dans un cours consacré à la gestion, au Nigéria, les participants (appartenant à plusieurs organisations) étaient invités à indiquer les principaux points qui ne donnaient pas satisfaction dans leurs organisations respectives. Ils en ont discuté ensemble et le résultat a été comparé avec un modèle théorique correspondant.

Ce processus, qui a beaucoup été utilisé dans le cours, comprenait les quatre parties suivantes:

1) pensez à un problème réel présentant de l'importance pour vous;

2) faites-en part aux autres participants et discutez-en avec eux;

3) comparez avec ce que le cours contient de théorie (apporté par le professeur, lu dans les livres, etc.);

4) tirez-en les leçons pour vous-même.

Quoique ne relevant pas entièrement de l'«autoformation», ce processus se rapproche assez bien du cycle de la formation dont il est question au chapitre 1 (figure 3).

Le même cours a aussi donné aux participants l'occasion de pratiquer quelques-unes des activités aboutissant à un jugement porté sur soi (chapitre 2) ainsi qu'un certain nombre des activités d'autoformation.

Cette combinaison de cours caractérisés d'autoformation avec d'autres cours à «sujet» donnés selon des processus de formation a certainement produit d'excellents résultats. L'évaluation en a été faite en bonne et due forme. Interrogés sur les principales choses qu'ils avaient apprises, les participants ont répondu entre autres:

o j'ai appris que la plupart des choses que nous faisons sont en rapport entre elles et ne peuvent être séparées les unes des autres;

o le cours est tout différent de ceux que j'ai suivis jusqu'ici en ce sens que je me sens plus engagé à penser beaucoup par moi-même;

o il est intéressant et encourageant de voir que mes collègues ont les mêmes problèmes que moi;

o j'ai plus d'assurance dans une discussion avec d'autres personnes et aussi pour mieux apprendre, penser et comprendre les autres;

o j'ai appris à penser par moi-même;

o je sais maintenant comment être partie d'une organisation;

o je me rends compte pour la première fois de l'importance que j'ai comme cadre moyen;

o je vois que si, dans une organisation, quelque chose concerne une de ses parties, les autres parties seront concernées aussi;

o j'ai appris que je peux prendre de meilleures décisions si j'aborde les problèmes sans crainte et avec confiance;

o j'ai acquis la facilité d'apprendre tout seul sans qu'il faille nécessairement me dire tout ce que je dois savoir, et je trouve cela stimulant et pratique;

o j'ai été amené à comprendre que le «moi» doit intervenir quand on a affaire aux insuffisances et aux succès des autres.

On a aussi demandé aux participants ce qui, dans le cours, les a aidés à apprendre. La combinaison de ce qu'ils ont appris par eux-mêmes et de ce qui leur a été apporté de l'extérieur sur leurs problèmes a été capitale. Ce résultat a été dû en particulier:

o au fait que les idées avancées par les participants ont été acceptées et respectées par les enseignants;

o au fait que le travail à deux ou en petit groupe a créé un solide esprit d'équipe;

o au fait qu'ils apprenaient selon des méthodes adaptées à leur expérience;

o à un large usage de bulletins d'informations, de diagrammes, de graphiques;

o à des activités pratiques;

o à un climat amical;

o à la pertinence de ce qui s'est fait.

Il est à peu près certain qu'une méthode comme celle qui a été suivie dans ces cas se révèlera utile car elle prend pour point de départ les questions touchant les participants.

En résumé, donc, cette méthode est utile en ce qu'elle est un trait d'union acceptable entre les activités de pure autoformation et les cours ordinaires donnés en application d'un programme.

Les cours par correspondance

Si votre institution a un programme de cours par correspondance, cela nécessitera une autre forme d'engagement. Il y aura évidemment lieu d'apprécier les devoirs faits et d'envoyer de nouveaux textes; d'autres procédés ont déjà été examinés, notamment les programmes radiodiffusés et télévisés, les services de consultations individuelles ou en groupe et la communication bidirectionnelle.

Vous pourrez aussi vouloir étudier les possibilités de réunir, à l'occasion, les élèves d'un programme par correspondance pour de brefs séjours de travail (de deux à cinq jours). Le but évident est de donner à ces élèves la possibilité de discuter de leurs difficultés et de leurs problèmes avec les enseignants. Ces séminaires ont un autre aspect important: les participants peuvent se rencontrer, se faire part de leurs expériences et peut-être convenir de se revoir ou de s'écrire par la suite. Cela peut-être des plus utiles car une des plus grandes difficultés que rencontrent les élèves par correspondance est le sentiment d'être isolés.

Un autre moyen de vaincre ce sentiment et d'aider les élèves éprouvant des difficultés serait de créer des groupes d'autoformation ou d'assistance mutuelle pour les élèves suivant des cours par correspondance ainsi que d'autres groupes de gestionnaires engagés dans l'autoformation.

10.3   Recherche et conseil

Une institution qui souhaite promouvoir l'autoformation peut jouer un rôle précieux en procédant à des enquêtes et en conseillant des organisations, des gestionnaires et d'autres institutions.

Par exemple, vous pouvez faire une enquête pour déterminer de quels matériels et ressources vous disposez ou, au contraire, ceux qu'il vous faut vous procurer ou créer. Des recherches plus poussées peuvent donner de précieux renseignements sur la préparation des matériels destinés à l'usage local tandis que des recherches critiques peuvent renseigner sur la valeur pratique des matériels, sur les difficultés ou les lacunes qu'on rencontre et les améliorations qu'on peut apporter.

De même, une institution peut recenser les besoins qu'on a de cours de formation et porter un jugement sur les cours qui se donnent.

Les méthodes susceptibles d'être employées pour recenser les besoins de formation sont évidemment très diverses. L'une consiste à remettre une liste à un bon échantillon de gestionnaires et à leur demander simplement de cocher les points sur lesquels ils souhaiteraient une amélioration. L'annexe 8 montre une liste de ce genre, établie d'après les résultats des divers exercices et activités examinés aux chapitres 3 à 8. Les gestionnaires sont priés de cocher chaque point d'abord quant à sa pertinence eu égard à leur travail, puis quant à la mesure dans laquelle ils estiment qu'ils ont déjà cette qualité ou compétence. Vous pouvez naturellement laisser certains points de côté si vous estimez qu'ils n'ont pas à être considérés.

Les listes de ce genre sont très rapides et simples à établir, à compléter et à analyser. Vous pouvez vous baser sur n'importe quel modèle de caractéristiques de la formation avec lequel il vous plairait de travailler. Une méthode plus ouverte consiste à demander à un échantillon de gestionnaires d'écrire une brève composition sur «les manières dont je voudrais apprendre et me former» ou quelque titre semblable. Mais elle exige beaucoup de coopération de la part des participants et les résultats sont aussi beaucoup plus difficiles à analyser. Il faut plus de temps encore – mais cela peut être très utile

Tableau 14. Schéma de questionnaire pour l'évaluation de la formation

ASPECTS DE LA FORMATION	SUR L'ÉCHELLE, MARQUEZ «B» LE POINT OÙ VOUS ESTIMEZ QUE VOUS ÉTIEZ PRÉCÉDEMMENT (AVANT LE COURS, L'EXPÉRIENCE, ETC.) ET «A» LE POINT OÙ VOUS ESTIMEZ ÊTRE ACTUELLEMENT (5: entièrement formé à cet égard; 4: bien formé à cet égard; 3: quelque peu formé à cet égard; 2: pas très formé à cet égard; 1: guère formé à cet égard). Dans l'espace entre chaque échelle, veuillez indiquer brièvement ce qui, le cas échéant, vous a aidé à vous former ainsi (le cours, l'expérience, etc.).
Enumérez ici les divers aspects, comme dans l'annexe 8 par exemple (ou choisissez ceux qui présentent un intérêt particulier pour vous)	⊢――――⊢――――⊢――――⊢――――⊣ 1 2 3 4 5 (laissez environ 2 cm entre chaque échelle)

– pour s'entretenir – séparément ou en groupe – avec les gestionnaires formant un échantillon. Vous pouvez décider vous-même comment vous mènerez l'entretien, bien que les questionnaires appelant des réponses nuancées, comme ceux qu'indiquent les annexes, puissent très facilement servir de canevas pour l'entretien. De même, vous pouvez vous inspirer, pour un entretien, des exercices que vous utilisez pour savoir ce que les tiers pensent vous apprendre et pour l'analyse des incidents critiques – les uns et les autres examinés dans les annexes.

Qu'en est-il des méthodes d'évaluation? Ici encore, vous pouvez utiliser le questionnaire ou l'entretien. Le tableau 14 donne un modèle de questionnaire, établi lui-même d'après le modèle des caractéristiques de la formation. Vous constaterez qu'il laisse de la place à l'intéressé pour qu'il indique par quel moyen il est arrivé à être formé. Le questionnaire peut être rempli par des gestionnaires qui ont utilisé n'importe lequel des processus ou ressources dont il est question dans ce livre. Vous pouvez de même interroger un échantillon de ces gestionnaires.

Une institution peut aussi être très utile en procédant à des travaux de recherche et en définissant la nature des processus de la formation adaptés à la culture et à la situation du pays. Nous ne pouvons pas entrer dans les détails, mais nous pouvons en tout cas signaler cela comme quelque chose qui demande à être activement étudié. Il est possible d'essayer un certain nombre de stratégies mais un bon point de départ pourrait être donné par des entretiens approfondis avec des gestionnaires sur la façon dont ils se sont formés pendant une certaine période, ce qui est d'ailleurs, en plus détaillé, le premier exercice que nous avons vu (figure 2). Il y a également un lien, ici, avec la recherche portant sur l'évaluation, en particulier si les gestionnaires sont de nouveau interrogés sur les divers processus qui se sont ou ne se sont pas révélés utiles.

Les renseignements que l'on peut avoir sur les processus de la formation adaptés au pays peuvent alors être utilisés pour concevoir les matériels et les processus à employer.

Tous ces renseignements peuvent être mis à la disposition des formateurs travaillant dans des organisations et dans d'autres institutions soit dans des cours de brève durée, des séminaires et des stages d'étude, soit au moyen de bulletins ou autres publications.

10.4 La documentation et les moyens matériels nécessaires à la formation

L'insuffisance des textes convenant à la formation et des autres textes est l'un des plus grands obstacles que rencontre l'autoformation. Cette insuffisance est particulièrement grave dans les pays en développement et en général dans les endroits éloignés des centres industriels, administratifs et d'enseignement.

Les institutions de formation à la gestion peuvent jouer dans ce domaine un rôle particulièrement utile bien qu'il ne soit pas spectaculaire.

Les bibliothèques de documentation sur l'autoformation

Vous pouvez, pour commencer, créer une bibliothèque contenant des livres, des rapports, des périodiques, des manuels et autres textes d'auto-formation. La plupart des institutions de formation à la gestion ont une biblio-thèque qu'elles mettent à la disposition de leur personnel et de ceux qui suivent leurs cours. Créer une bibliothèque destinée à être utilisée dans les processus de l'autoformation est une chose toute différente. Par exemple, vous pourrez avoir à organiser un service de conseils aux gestionnaires sur les ouvrages à choisir et aussi à vous assurer de posséder en un nombre d'exemplaires suffisant les textes qui seront très demandés.

Production de textes d'autoformation

Il peut être très utile de rassembler des textes utilisés pour l'autoformation acquis dans d'autres pays et auprès d'autres institutions. La contribution pourrait être encore plus précieuse si votre institution produisait ses propres textes, adaptés aux conditions dans lesquelles vos clients (gestionnaires et organisations) vivent, travaillent et apprennent. Dans certains cas, il sera possible de le faire en modifiant les textes destinés à être adaptés par les institutions professionnelles locales. Ces textes peuvent même consister en directives sur les moyens de les adapter à diverses situations (sectorielles, culturelles, etc.).

Textes de cours par correspondance et instruments didactiques

Comme on l'a vu au chapitre 6, le cours par correspondance est un cas spécial de fourniture structurée de textes. Il demande que les objectifs soient définis avec soin et que les textes soient préparés de façon à ce qu'ils répondent à ces objectifs. La préparation des textes relève elle-même des spécialistes et il faudrait y consacrer tout un livre. Nous pouvons cependant aborder quelques points en guise d'introduction.

Il va presque sans dire que les textes doivent être présentés selon un ordre logique. Mais cela ne suffit pas. Par exemple, il est essentiel de toujours penser au lecteur et d'écrire dans un style qui lui soit accessible. Cela signifie souvent qu'il faut omettre les à-côtés érudits que d'autres groupes de lecteurs (par exemple des collègues universitaires) trouveraient intéressants mais qui ne feront que jeter la confusion dans l'esprit des lecteurs auxquels les textes sont principalement destinés.

Il est aussi utile de montrer les endroits où une série de renseignements est en rapport avec d'autres parties du document, avec des points qu'on a déjà vus et d'autres qu'on verra.

Un bon ouvrage d'autoformation ou un bon cours par correspondance diffèrent d'un manuel. Celui-ci contient une masse de faits intéressants, mais il ne vise pas à orienter ou à enseigner car il est normalement utilisé par un maître ou un instructeur. Un cours par correspondance doit contenir le «maître». Voici donc ce qu'il doit faire:

o   susciter l'attention et des motivations;

o   rendre le lecteur conscient des résultats qu'il doit attendre de ces textes;

o   établir des rapports avec ce qu'on sait et qui intéresse déjà;

o   accompagner d'une introduction les textes à étudier, y compris les exercices et les activités;

o   orienter et organiser, en dirigeant vers l'acquisition des connaissances et en y aidant;

o   apporter des renseignements;

o   faciliter la transposition, c'est-à-dire l'application du texte au travail du lecteur;

o   aider à retenir, ou la mémoire.

Vous aurez aussi moins de peine si le texte que vous offrez est varié: renseignements purs et simples, exemples, citations, illustrations, graphiques, tableaux, exercices et suggestions quant aux activités. Vos lecteurs trouveront aussi le texte plus facile si vous présentez les renseignements en trois parties:

o   un résumé de ce que vous allez écrire;

o   le contenu principal;

o   un résumé de ce que vous venez d'écrire.

Votre style aura une grande importance. La majorité des experts en la matière estiment que le mieux est d'adopter un ton assez familier, de s'adresser au lecteur en disant «vous» et de parler du ou des auteurs en disant «nous» (c'est d'ailleurs ce que vous aurez noté tout au long de ce livre).

La plupart des instruments didactiques et des cours par correspondance se présentent sous la forme de textes (bulletins, brochures, exercices, etc.). Mais vous pouvez envisager d'autres moyens, notamment les bandes magnétiques, la radio, la vidéo et la télévision. Ceux-ci sont largement accessibles à la population de tout un territoire et, aussi, conviennent mieux aux personnes qui apprennent plus facilement par d'autres moyens que des textes écrits.

Si cela est possible, vous devriez prévoir un moyen de dialogue. La méthode ordinaire est de donner des devoirs écrits à faire, mais la présence sur place d'un moniteur ou d'un conseiller (en particulier ou dans un groupe) peut être très utile. L'idéal serait de pouvoir organiser la présence sur place de maîtres, de moniteurs, de conseillers – peu importe le nom. Peut-être faudrait-il pour cela faire intervenir d'autres institutions dans différentes parties du territoire.

Il y a d'autres moyens d'établir un dialogue, mais ils présentent des inconvénients. L'un est le téléphone – s'il existe –, grâce auquel les élèves pourraient recevoir une orientation aux moments voulus. On a fait, dans des régions reculées du Canada, des expériences de liaisons télévisées en mode dialogué, mais l'équipement technique exige des sommes considérables, qu'il serait peut-être plus utile de dépenser à des choses plus simples.

A part les textes offerts à tout le monde, une institution peut fort bien être amenée à préparer, à titre de consultant, de la documentation et des ressources pour une seule organisation.

Les locaux

Une institution peut aussi jouer un rôle des plus utiles en mettant à la disposition des gestionnaires des locaux où ils puissent venir étudier. L'idéal est une série de salles, dont des salles pour la lecture individuelle et des salles pour le travail de cinq à quinze personnes.

Informations sur le matériel d'autoformation

Les institutions sont de plus en plus nombreuses à créer, à l'intention des gestionnaires et des organisations, des centres et des services d'information sur la documentation pouvant être utilisée pour l'autoformation. Vous y ferez naturellement figurer des informations sur les documents que votre institution possède dans sa bibliothèque et met à la disposition des intéressés (documents que vous avez achetés ou produits vous-même). Mais vous pouvez aller plus loin. Il existe des directives et des catégories de collections audiovisuelles et autres, et vous pouvez en inclure quelques-unes dans votre bibliothèque. En outre, vous pouvez aussi recueillir et fournir des renseignements sur la documentation préparée et rendue disponible par d'autres institutions; ce peut être particulièrement utile dans les pays où l'achat de documents à l'étranger prend beaucoup de temps lorsque le contrôle des changes ne le rend pas impossible.

OBTENIR DES RENSEIGNEMENTS POUR PORTER UN JUGEMENT SUR SOI-MÊME

La présente annexe contient des détails sur deux sources de renseignements vous permettant de vous juger vous-même. Ce sont:

1) les autres;

2) les événements (les «incidents critiques»).

1. Les renseignements reçus des autres

Il est à peu près certain que vous recevez fréquemment des renseignements d'autres personnes – votre chef, vos collègues, votre famille et vos amis. Beaucoup d'entre nous sommes même plus ou moins constamment bombardés à la fois d'éloges et de critiques.

L'ennui c'est que nous ne passons pas assez de temps à réfléchir à ce flot de renseignements. A moins d'être très différent de la plupart des gens, vous vous apercevrez, vous aussi, que vous ne pesez pas vraiment les renseignements qui vous arrivent. C'est-à-dire que vous ne les considérez pas objectivement. Il est évidemment très difficile d'être objectif devant un renseignement qui nous touche personnellement et qui, par sa nature même, provoque presque fatalement en nous certains sentiments – bons (pour les renseignements positifs) ou mauvais (dans le cas de renseignements négatifs). Par-dessus le marché, les choses se compliquent du fait que, probablement, vous éprouvez aussi certains sentiments à l'égard de la personne qui vous renseigne et ces sentiments – positifs ou négatifs – influent à leur tour sur la façon dont vous réagissez à ce qu'elle vous dit.

Il est probablement vrai de dire que la plus grande partie de ce que nous apprenons ainsi résulte de notre activité normale, quotidienne. En d'autres termes, nous n'allons pas à sa recherche. Mais il peut être utile de procéder plus systématiquement pour obtenir ces renseignements et il existe, pour ce faire, un moyen simple mais efficace, que nous allons examiner maintenant.

La première chose à faire, c'est de dresser la liste des personnes qui ont pour vous de l'importance ou sont intéressantes à vos yeux. Vous pouvez, si vous le voulez, vous limiter à celles avec qui votre travail vous met en rapport mais vous aurez un tableau plus complet si vous en retenez d'autres aussi, votre famille et vos amis.

Vous trouverez peut-être utile de faire un graphique montrant les «personnes importantes» (vous vous placez vous-même au centre du graphique). Réfléchir à l'endroit où vous les placez dans le graphique peut être un bon moyen de voir comment plusieurs de ces personnes sont en rapport entre elles. La distance où vous les placez par rapport à vous peut aussi vous renseigner sur celles qui sont plus importantes que d'autres.

Que vous fassiez ou non ce graphique, pensez ensuite à chacune de ces personnes qui vous intéressent et demandez-vous: «Que me dit-il ou me dit-elle? Qu'est-ce qu'ils m'apprennent?» Ayez la bonne idée de le mettre par écrit.

Vous trouverez probablement que, pour certains d'entre eux, vous ne savez pas vraiment ce qu'ils disent. Dans ces cas, demandez-vous d'abord si vous en êtes bien sûr; très souvent, vous constaterez que vous le savez fort bien mais préférez n'y prêter aucune attention, feignant de ne pas le savoir.

Si vous continuez à ne pas le savoir, allez le découvrir! Ce n'est peut-être pas facile; il faut certainement du courage pour demander à quelqu'un de vous communiquer quelque chose.

Vous pourrez aussi constater que les personnes que vous interrogez éprouvent de la peine à bien vous répondre. En demandant de savoir, vous pouvez bien provoquer une surprise à laquelle ils ne s'attendaient pas. Il peut donc être bon de réfléchir soigneusement sur le moment et la manière d'aborder les intéressés et de leur poser votre question.

Et aussi, bien entendu, il sera probablement utile d'approcher d'autres personnes: choisissez celles dont vous pensez connaître déjà ce qu'elles peuvent dire et vérifiez-le avec elles. Après tout, vous pouvez vous tromper. Peut-être vous diront-elles quelque chose de différent ou quelque chose d'autre aussi que vous n'aviez pas remarqué.

Ayant bien compris les messages, vous êtes désormais en mesure de continuer à y réfléchir, comme il est dit au chapitre 2.

2. Ce que révèlent les événements, les expériences

Nous pouvons beaucoup apprendre sur nous-mêmes et sur les effets que produisent nos actes en étant conscients de ce qui nous arrive, de ce qui se passe.

Ici encore, il y a un moyen direct de s'y mettre.

Dans la section précédente, vous vous êtes occupé des gens importants; nous pouvons nous tourner maintenant vers les choses importantes qui se passent, ce que nous appellerons les «incidents critiques».

Le moyen de le faire, c'est de penser à certains faits importants survenus récemment, à des incidents critiques. En général, ils vous auront placé dans une situation difficile, qui s'est ensuite arrangée ou aggravée

S'il s'agissant d'un gros incident, il pourrait être bon de vous arrêter seulement sur lui pour l'instant. Ou bien, vous pouvez vouloir examiner trois ou quatre faits mineurs.

Quelle que soit votre décision, il s'agit maintenant d'analyser un incident critique. Vous pouvez le faire en considérant ce que vous avez pensé, ressenti, voulu et avez fait à ce moment. Faites une description écrite de ce qui s'est passé, un peu comme si vous racontiez une histoire, et notez ce qu'ont été vos pensées, vos sentiments et vos intentions à différents moments. Si vous éprouvez de la peine à le faire, vous vous faciliterez la tâche en le mettant par écrit sur les deux moitiés d'une feuille de papier ou sur deux pages d'un carnet qui se font face, comme on le montre plus loin.

Vous avez alors une analyse de l'incident. Il s'agit ensuite d'examiner avec soin les renseignements qu'elle vous donne et de relever ce qu'ils disent en réalité; quel message cet incident vous apporte-t-il?

Sur deux moitiés d'une feuille ou deux pages de carnet

Que s'est-il passé?	Quelles ont été mes pensées?
Qu'ai-je fait?	Quels sentiments ai-je éprouvés?
Qui d'autre y avait-il?	Quelle a été mon intention – qu'ai-je voulu faire?
Qu'ont-ils fait?	Qu'est-ce que je crois que pensaient les autres?
	Qu'est-ce que je crois qu'éprouvaient les autres?
	Qu'est-ce que je crois que les autres ont voulu faire?

Le message dépendra évidemment beaucoup de vous et de votre situation; après tout, il s'agit là d'un jugement que vous portez sur vous-même. Vous découvrirez peut-être que vous vous rendez compte que vous avez besoin de vous perfectionner sur certains points ou d'en savoir davantage sur un certain sujet. Ou bien l'incident vous montrera peut-être que vous devenez trop agressif quand quelqu'un n'est pas d'accord avec vous.

D'autre part, le message peut être positif: vous vous découvrez un point fort ou un talent dont vous ne vous étiez pas douté.

Le principal est d'utiliser l'analyse pour apprendre quelque chose sur vous-même.

Evidemment, ici encore, vous regarderez les incidents sous l'influence de votre moi supérieur et de votre moi inférieur. Si c'est celui-ci qui domine, vous reflèterez les sentiments que vous inspirent les autres intéressés, ou vous ne voudrez peut-être pas vous avouer certaines choses. Essayez donc de garder l'esprit ouvert à ce qui se passe pendant que vous procédez à l'analyse. Essayez de surveiller vos pensées, vos sentiments et vos actes à ce moment. Qui est aux commandes, l'ange ou la bête?

Pour transformer l'analyse en problèmes et questions qui vous touchent, vous pouvez utiliser une méthode pareille à celle que nous avons vue. Il s'agit dans ce cas de vous poser les questions suivantes:

1) Comment est-ce que je réagis à l'analyse? Qu'est-ce que je sens? Que voudrais-je faire?

2) Pourquoi? De quelle manière mon ange et ma bête agissent-ils ici?

3) En suis-je sûr (répétez plusieurs fois la question)?

4) Quels sont mes sentiments devant tout l'incident? Ces sentiments influent-ils sur ma réaction?

5) En suis-je sûr (à répéter plusieurs fois)?

6) AINSI, QU'EST-CE QUE CET INCIDENT ME DIT VRAIMENT?

QUESTIONNAIRE RELATIF AUX QUALITÉS D'UN GESTIONNAIRE EFFICACE

Ce questionnaire est emprunté à un livre qui s'attache surtout au deuxième degré de la capacité gestionnaire, à savoir le spécialiste de la gestion, qui possède la science de la gestion[1]. Sa portée est donc un peu plus limitée que celle du questionnaire qui va suivre (annexe 3) fondé, lui, sur les résultats généraux de l'autoformation (voir le tableau 1 au chapitre 1). Il a toutefois l'avantage de concerner spécialement le travail du gestionnaire. Il est clair qu'il y a un lien entre les deux questionnaires.

Celui-ci a été établi après des travaux de recherche qui ont mis en évidence 11 qualités d'un gestionnaire efficace:

1) *La maîtrise des faits essentiels:* les gestionnaires qui réussissent sont bien au courant de tout et de chacun dans leur organisation.

2) *Les connaissances professionnelles:* cette catégorie comprend les connaissances «techniques», c'est-à-dire concernant l'ingénierie, l'agriculture, l'art vétérinaire, l'enseignement, etc. selon votre spécialité.

3) *Une sensibilité constante aux événements:* la sensiblité des gestionnaires à ce qui se passe autour d'eux a plusieurs degrés. Le gestionnaire qui réussit est particulièrement sensible aux événements et peut se régler sur ce qui se passe. Cette sensibilité lui permet d'avoir le comportement requis dans chaque situation.

4) *Un esprit analytique, la capacité de résoudre les problèmes, de prendre des décisions, de juger:* la plus grande partie du travail d'un gestionnaire consiste à prendre des décisions. Celles-ci peuvent parfois être prises de façon logique, rationnelle. D'autres demandent une aptitude à peser le pour et le contre devant ce qui est essentiellement une situation incertaine ou ambiguë demandant de grandes capacités de jugement ou même une grande intuition.

---

[1] Pedler, M.J., Burgoyne, J.G. et Boydell, T.H.: *A manager's guide to self-development* (Maidenhead, McGraw-Hill, 1978). Questionnaire et texte reproduits avec l'aimable autorisation des éditeurs.

5) *L'aisance et le savoir-faire dans les rapports sociaux:* on définit souvent la gestion comme «l'art de faire agir les autres». Cette définition peut être insuffisante mais souligne un des aspects capitaux du travail de gestionnaire: la capacité de s'entendre avec les tiers.

6) *La résistance émotionnelle:* le gestionnaire qui réussit doit être assez résistant pour supporter les tensions considérables que créent certaines situations caractéristiques du travail de gestion.

7) *Un tempérament actif:* les gestionnaires qui réussissent ont d'importants objectifs ou buts à atteindre et ne peuvent se borner à réagir à ce qu'on exige d'eux.

8) *La créativité:* c'est la capacité d'apporter de nouvelles réponses ou solutions et de voir assez grand et avec une certaine ouverture d'esprit pour reconnaître l'utilité d'idées nouvelles lorsqu'on leur en propose.

9) *Un esprit agile:* il peut saisir rapidement les problèmes, aborder plusieurs tâches et problèmes à la fois, passant rapidement de l'un à l'autre.

10) *L'équilibre dans les façons et la capacité d'apprendre:* les gestionnaires qui réussissent sont en général assez indépendants dans leur façon d'apprendre: ils décident eux-mêmes ce qui est «correct» et «incorrect». Ils peuvent aussi avoir un esprit abstrait et concret ainsi que se laisser instruire par l'expérience.

11) *La connaissance de soi:* dans tout ce que font les gestionnaires, la manière dont ils conçoivent leur travail et leur rôle, leurs buts, leurs valeurs, leurs sentiments, leurs points forts et leurs points faibles agit sur eux.

Telles sont donc les qualités d'un gestionnaire efficace. Le questionnaire qui suit doit vous aider à réfléchir sur vous-même en vous plaçant à ces points de vue.

Vous verrez que ce n'est pas un «système de points». Ce questionnaire appelle des réponses nuancées. Plutôt que de vouloir établir un score chiffré, vous devez prendre toutes les questions en y répondant aussi complètement que possible. Vous considérez ensuite vous-même ce que signifient vos réponses, ce qu'elles vous disent (souvenez-vous aussi que c'est là la première étape du processus du jugement sur soi que montre la figure 6 au chapitre 2). De cette façon, le questionnaire doit vous aider à vous *examiner à fond* plutôt qu'à prendre la mesure de vous-même.

Ajoutons qu'il peut être très utile de répondre à ces questions avec un partenaire – ami ou collègue. Vous pourrez ainsi poser les questions tour à tour et ajouter aux réponses en les complétant par des renseignements ou des exemples que vous avez demandés, précisant la façon dont vous voyez l'autre personne.

1) *La maîtrise des faits essentiels*

Que savez-vous au juste sur ce qui se passe dans votre organisation?

Quelles sont vos sources de renseignements?

Quelle est l'étendue de vos contacts?

Combien de personnes connaissez-vous dans votre organisation?

Que savez-vous de ce que les autres pensent de votre organisation? «Les autres» sont vos supérieurs, vos égaux, vos subordonnés, les propriétaires, le directeur et la main-d'œuvre, la clientèle et les consommateurs.

Avez-vous des exemples récents d'occasions où vous avez eu besoin de connaître davantage de faits essentiels?

Dans quelle mesure êtes-vous au courant des politiques de votre organisation?

Dans quelle mesure êtes-vous au courant des plans à moyen et à long terme de votre organisation?

Que faites-vous pour rester informé de tout cela?

2) *Les connaissances professionnelles*

Que faites-vous pour vous tenir au courant des nouvelles techniques et des nouvelles idées concernant votre domaine?

Combien de temps consacrez-vous à la lecture de revues spécialisées?

Comment vous oriente-t-on sur les aspects techniques ou spécialisés de votre travail?

Etes-vous bien informé des changements qui peuvent intervenir dans les lois, au gouvernement et sur le plan international, et sur les effets qu'ils peuvent avoir sur votre organisation?

3) *Une sensibilité constante aux événements*

Que faites-vous pour être sûr d'être attentif à ce qui se passe dans votre organisation?

Jusqu'à quel point êtes-vous sensible à ce que les autres ressentent ou à la manière dont ils vont probablement réagir? Que faites-vous pour développer cette sensibilité?

Jusqu'où va votre discernement?

Comment vous assurez-vous que vos suppositions sur ce qui se passe sont correctes?

De quel genre sont les situations dont les conséquences vous sont le plus difficile à calculer?

4) *Un esprit analytique, la capacité de résoudre les problèmes, de prendre des décisions, de juger*

Qu'est-ce que vous trouvez le plus difficile quand il y a des décisions à prendre?

Qu'éprouvez-vous quand il s'agit de porter un jugement dans des situations où vous souhaiteriez en savoir davantage?

Pour prendre une décision, de quelle gamme de techniques disposez-vous là où il le faut?

Avez-vous quelques exemples récents de bonnes et de mauvaises décisions que vous avez prises?

En général, jusqu'à quel point vous fiez-vous à votre capacité de prendre des décisions?

5) *L'aisance et le savoir-faire dans les rapports sociaux*

Avez-vous beaucoup de difficultés dans vos rapports avec les tiers? Quels genres de difficultés avez-vous?

Que faites-vous dans les situations amenant des conflits entre personnes?

Avez-vous des exemples récents de situations où il vous a fallu utiliser votre sens des rapports sociaux? Que s'est-il passé?

Que savez-vous de ce que les autres pensent de vous et de leurs sentiments à votre égard?

Comment réagissez-vous à la colère, à l'hostilité, aux soupçons?

Comment faites-vous pour être sûr que les autres vous comprennent quand vous communiquez avec eux? Comment vous assurez-vous que vous les comprenez?

6) *La résistance émotionnelle*

Comment faites-vous face à la situation quand vous vous sentez stressé, tendu, inquiet, fatigué?

Avec qui parlez-vous de vos soucis et de vos inquiétudes?

Pensez aux situations où vous vous êtes récemment senti le plus tendu, stressé. Comment vous-êtes vous comporté?

Que faites-vous lorsque vos émotions prennent le dessus?

Comment vous comportez-vous dans les situations très ambiguës (c'est-à-dire quand vous ne savez pas ce qui se passe, quand tout semble très incertain)? Pouvez-vous donner quelques exemples?

Que faites-vous pour être sûr que vous ne devenez ni insensible ni exagérément dominé par vos émotions?

7) *Un tempérament actif*

Que faites-vous pour vous assurer que vous êtes maître de votre comportement et ne vous laissez pas mener ou manœuvrer par les autres ou les pressions résultant de la situation?

Dans quelles situations tendez-vous à être indépendant et à passer à l'action, comparées aux situations où vous avez tendance à dépendre de l'extérieur et, simplement, à réagir?

Dans quelle mesure savez-vous prendre des initiatives?

Dans quelle mesure allez-vous de l'avant, êtes-vous actif, entreprenant, plutôt qu'endormi, passif, moutonnier?

8) *La créativité*

Avec quelle facilité estimez-vous que vous proposez de nouvelles idées?

Que ressentez-vous lorsque toutes les solutions bien éprouvées d'un problème ont échoué?

Que faites-vous pour essayer de découvrir de nouvelles manières de procéder?

Devant un problème donné, essayez-vous souvent de faire l'épreuve de nouvelles méthodes, approches et solutions?

Quelles sont les choses les plus créatrices que vous avez faites ces douze derniers mois?

Avez-vous souvent des idées à première vue absurdes qui, une fois mises au point, se révèlent bonnes et utiles?

9) *Un esprit agile*

Avec quel succès abordez-vous plusieurs problèmes ou tâches à la fois?

Avez-vous quelques exemples de situations où vous avez réellement eu besoin de penser vite? Que s'est-il passé dans chaque cas?

Avez-vous souvent des traits de lumière où «toutes les pièces paraissent se mettre à leur place» pour résoudre un problème? Pouvez-vous en donner quelques exemples?

Qu'éprouvez-vous quand la nécessité de penser vite se présente?

Que faites-vous lorsque vous vous trouvez en face de renseignements, de données ou d'idées contradictoires?

10) *L'équilibre dans les façons et la capacité d'apprendre*

Avec quel succès mettez-vous la théorie et la pratique en rapport dans la gestion?

Avez-vous des exemples de cas où vous avez su tirer des conclusions générales ou formuler de petites théories à partir de votre expérience pratique?

Avez-vous des exemples de cas où:

a)   Vous avez préféré suivre les conseils d'un expert plutôt que de vous fier à votre jugement?

b)   Vous avez préféré vous fier à votre jugement plutôt que de suivre les conseils d'un expert?

Que faites-vous pour vous assurer que vos méthodes d'acquérir des connaissances forment un ensemble équilibré?

11) *La connaissance de soi*

Que faites-vous pour mieux vous connaître?

Avez-vous des exemples de cas où la connaissance ou la compréhension que vous avez de votre manière de sentir ou de vous comporter a influé sur ce que vous faisiez?

Dans quelle mesure êtes-vous conscient de vos buts, de vos valeurs, de vos convictions, de vos sentiments et de votre comportement?

Prenez-vous souvent le temps de considérer votre comportement, ses causes et ses effets?

Quand vous aurez rempli le questionnaire, vous pourrez utiliser la méthode normale consistant à transformer les renseignements obtenus en questions et problèmes personnels. Vous serez ainsi amené à examiner les questions suivantes:

1)   Comment est-ce que je réagis aux réponses que j'ai données? Qu'est-ce que j'éprouve? Que voudrais-je faire?

2)   Pourquoi? De quelle manière mon ange et ma bête agissent-ils ici?

3)   En suis-je sûr (posez plusieurs fois la question)?

4)   Quel est mon sentiment à l'égard des questionnaires de ce genre? Ce sentiment influe-t-il sur mes réponses?

5)   En suis-je sûr (à répéter plusieurs fois)?

6)   AINSI, QU'EST-CE QUE MES RÉPONSES ME DISENT EN RÉALITÉ?

QUESTIONNAIRE ÉTABLI D'APRÈS LES RÉSULTATS DE L'AUTOFORMATION

Nous en venons maintenant à un autre questionnaire qui a été établi d'après les résultats de l'autoformation ou les qualités d'une personne formée, résultats dont il est question au chapitre 1.

Comme on l'a vu, on admet de plus en plus qu'il y a un lien entre la formation d'une personne et la formation d'un gestionnaire. On peut donc considérer que ce questionnaire est un reflet de ce lien: de fait, il vous aide à porter un jugement sur vous-même en ce qui concerne l'art de la gestion (chapitre 1).

Le questionnaire contient un certain nombre de questions auxquelles il ne peut y avoir de réponses claires et nettes, «justes» ou «fausses»; ce n'est pas non plus un système de points. C'est à vous de décider ce que vos réponses signifient, ce qu'elles vous apprennent.

Certaines de ces questions ont été spécialement rédigées de façon à vous permettre de décider ce que vos réponses vous apprennent. De temps en temps, on vous demande de vous reporter à vos réponses précédentes pour voir s'il s'en dégage quelque constante ou thème.

Supposons, pour prendre un exemple, que vous venez de répondre à la question: «Pouvez-vous penser à des situations où vous avez eu des difficultés à vous entendre avec d'autres personnes? De quelles sortes ces situations sont-elles?»

La lecture de vos réponses peut révéler une constante. Vous constaterez peut-être que les exemples que vous avez donnés concernent tous des cas où vous avez pris des sanctions contre des subordonnés – ce qui indique un terrain particulièrement difficile. Ou bien ils concernent des cas où on vous a dit de faire quelque chose que vous ne vouliez pas faire.

Une autre possibilité est que la constante fasse apparaître une ou plusieurs personnes déterminées. Ainsi, ce peut être un certain collègue avec qui vous semblez avoir des difficultés. Et ainsi de suite.

Vous pouvez aussi relever des constantes dans vos réactions à ce qui se produit: vos pensées, vos sentiments, vos actes. Pouvez-vous voir un trait commun aux situations dans lesquelles vous vous sentez menacé ou agité? Ou dans tout autre cas?

Utilisez les questions dans un esprit aussi créateur que possible. Interprétez-les de la manière que vous jugerez utile. Posez-vous en d'autres encore si vous voulez. Après tout, il s'agit de vous juger vous-même.

Il y a d'autres questions qui reviennent à plusieurs reprises. L'une est celle qui demande si les tiers vous voient comme vous vous voyez: accepteraient-ils vos réponses (c'est-à-dire seraient-ils d'accord avec vous)? Ce sera peut-être le cas de quelques-uns mais pas de certains autres.

Si vous en avez le courage, vous pouvez combiner ces questions avec le graphique des «personnes importantes» indiqué à l'annexe 1, en pensant à ce que chacune d'elles dirait. Ensuite, vérifiez – posez-leur la question!

L'autre série de questions qui reviennent vous demandent de réfléchir à vos réponses: qu'en pensez-vous? Que vous font-elles éprouver? Que voulez-vous faire à leur sujet? Cela commence à vous mener à l'étape suivante du processus du jugement porté sur soi (figure 6).

Ici encore, vous pourrez trouver utile d'aborder toutes ces questions avec un partenaire. Que vous le fassiez ou que vous procédiez seul, faites-le bien, en y consacrant suffisamment de temps. Pour le faire convenablement, il vous faudra peut-être plusieurs heures. Peut-être trouverez-vous l'exercice fatigant; aussi serait-ce une bonne idée que d'en faire une partie, vous reposer, puis reprendre.

Comme le questionnaire est très éprouvant, un autre moyen de l'utiliser serait de vous concentrer chaque fois sur une partie bien délimitée. Vous pourrez ainsi prendre une série précise de questions et travailler sur elles, réfléchir à ce qu'elles signifient et ainsi de suite, jusqu'à ce que vous arriviez aux intentions d'agir et à ce que vous faites à ce sujet. Vous pouvez revenir ensuite à une autre partie du questionnaire et y travailler.

Procédez avec souplesse. Ne négligez rien qui puisse vous aider.

1. Santé

a) Pensée, santé mentale

1) Quelles sont vos convictions profondes touchant les gens? La vie de famille? La politique? Votre pays? Votre nationalité? Votre race? Les autres nationalités? Les autres races? La morale? La religion? La vie et la mort?

2) Si vous avez dit: «je n'ai aucune conviction touchant aucun de ces sujets», réfléchissez de nouveau. En fait, il est à peu près certain que vous avez de ces convictions, même si vous ne savez pas ce qu'elles sont.

3) Pouvez-vous apercevoir des inconséquences dans vos convictions, c'est-à-dire y en a-t-il qui se contredisent? Quel effet cela a-t-il sur vous?

4) D'où vos convictions vous viennent-elles? Sur quoi sont-elles fondées? Dans quelle mesure subissez-vous l'influence de tiers pour dire ce qui est juste et faux? Certaines personnes ont-elles plus que d'autres de l'influence sur vous?

5) Comment ces convictions influent-elles sur votre manière de penser? Sur vos sentiments? Sur ce que vous voulez faire? Sur ce que vous faites effectivement?

6) Comment réagissez-vous lorsque quelqu'un exprime une idée ou une conviction qui contredit directement la vôtre ou en est une critique? Que pensez-vous? Que ressentez-vous? Que voulez-vous faire? Que faites-vous effectivement? Qu'en résulte-t-il? (Pensez à quelques exemples.)

7) Ces exemples présentent-ils une constante? Certaines personnes ou certains genres de situations provoquent-elles certaines réactions?

8) Comment réagissez-vous devant des situations incertaines et ambiguës? Que pensez-vous? Que ressentez-vous? Que voulez-vous faire? Que faites-vous effectivement? Qu'en résulte-t-il?

9) Pouvez-vous penser à des situations où vous avez dû agir contrairement à vos convictions profondes? Qu'en pensez-vous? Qu'avez-vous ressenti? Qu'avez-vous voulu faire? Qu'avez-vous fait effectivement? Qu'en est-il résulté?

10) Relisant vos réponses aux questions posées dans la présente section, pensez-vous que les tiers seraient d'accord avec vous? En d'autres termes, vous voient-ils comme vous vous voyez vous-même? Certains seraient-ils d'accord avec vous et d'autres non? Qui?

11) Relisant vos réponses aux questions posées dans la présente section, qu'en pensez-vous? Qu'éprouvez-vous à leur sujet? Qu'avez-vous l'intention de faire à ce sujet?

b) Sentiments: santé affective

1) Quand vous sentez-vous heureux? Joyeux? Agité? Triste? Irrité? Effrayé? Chagriné? Menacé? Reconnaissant? Aimant? Aimé? Malveillant? Détesté? Terrifié? Dégoûté?

2) Quels autres sentiments éprouvez-vous, et quand?

3) Qu'advient-il de ces sentiments? Quelle direction prennent-ils? Comment se manifestent-ils? Comment les exprimez-vous?

4) Pouvez-vous apercevoir une constante ici? Certains sentiments, certaines personnes ou situations provoquent-ils un genre de réactions et d'autres des réactions différentes?

5) Dans quelle mesure êtes-vous maître de vos sentiments ou, si vous préférez, dans quelle mesure les possédez-vous ou sont-ce eux qui vous possèdent? Pouvez-vous penser à des exemples?

6) Quels résultats peut-on attribuer à vos sentiments, à la direction qu'ils prennent, à la façon dont vous les exprimez, etc.?

7) Comment est votre être intérieur? Calme? Tendu? Turbulent? Autre chose?

8) Change-t-il? Quand?

9) Relisant vos réponses aux questions posées dans la présente section, qu'en pensez-vous? Qu'éprouvez-vous à leur sujet? Qu'entendez-vous faire à ce sujet?

c) Volonté ou action: santé physique

1) Faites-vous beaucoup d'exercice physique? De quelle sorte? Souvent?

2) Etes-vous en bonne forme?

3) Fumez-vous? Peu ou beaucoup?

4) Buvez-vous de l'alcool? Quelle quantité?

5) Si vous fumez ou si vous buvez de l'alcool, quel effet cela a-t-il sur vous?

6) Suivez-vous régulièrement un programme de yoga ou de méditation?

7) Savez-vous le nombre moyen de calories que vous absorbez chaque jour avec vos repas?

8) Savez-vous combien de calories vous avez besoin de consommer chaque jour en mangeant?

9) Savez-vous la quantité d'hydrates de carbone, de protéines, de matières grasses, de fibres, de vitamines et de minéraux dont vous avez besoin chaque jour?

10) Savez-vous quelle quantité de ces substances vous absorbez chaque jour?

11) Savez-vous si votre poids est insuffisant ou excessifs?

12) Relisant vos réponses aux questions posées dans la présente section, pensez-vous que d'autres personnes seraient d'accord ou en désaccord avec vous? En d'autres termes, vous voient-elles comme vous vous voyez vous-même? Certaines seraient-elles d'accord et d'autres en désaccord? Qui?

13) Relisant vos réponses aux questions posées dans la présente section, qu'en pensez-vous? Qu'éprouvez-vous à leur sujet? Que vous proposez-vous de faire à ce sujet?

2. Capacités

a) Pensée: capacités mentales

1) Que se passe-t-il dans votre tête quand vous pensez? Pensez-vous par mots? Par images? En conversant avec vous-même?

2) Préférez-vous penser aux choses de façon logique ou trouver une solution par intuition?

3) Avez-vous des exemples de cas où vous n'avez pas vu les conséquences logiques de certaines actions? Que pensiez-vous? Qu'avez-vous ressenti? Que vous êtes-vous proposé de faire? Qu'avez-vous fait effectivement? Qu'en est-il résulté?

4) Y a-t-il une constante ici? Cela se produit-il seulement dans des situations bien déterminées?

5) Vos connaissances professionnelles sont-elles bonnes? Y a-t-il des domaines où vous voudriez améliorer vos connaissances techniques et professionnelles? Pouvez-vous donner des exemples de cas où ces connaissances supplémentaires seraient utiles?

6) Avez-vous l'esprit créateur? Pouvez-vous penser à des cas où vous avez avancé des idées nouvelles? Qu'avez-vous pensé? Qu'avez-vous éprouvé? Qu'avez-vous fait? Qu'en est-il résulté?

7) Votre mémoire est-elle bonne?

8) Pouvez-vous penser à des cas où «il vous semblait connaître exactement» la réponse à un problème sans avoir procédé logiquement? Qu'avez-vous éprouvé? Qu'avez-vous fait?

9) Y a-t-il une constante ici? Cela se produit-il seulement dans des situations bien déterminées?

10) Relisant vos réponses aux questions posées dans la présente section, pensez-vous que d'autres personnes seraient d'accord ou en désaccord avec vous? En d'autres termes, vous voient-elles comme vous vous voyez vous-même? Certaines seraient-elles d'accord avec vous et d'autres en désaccord? Qui?

11) Relisant vos réponses aux questions posées dans la présente section, qu'en pensez-vous? Qu'éprouvez-vous à leur sujet? Que vous proposez-vous de faire à ce sujet?

b) Sentiments: dons d'expression, talents artistiques et sens des rapports sociaux

1) Pouvez-vous penser à des situations où vous avez été incapable d'exprimer, de montrer ou d'expliquer ce que vous pensiez? Ou éprouviez? Ou vouliez faire? Que s'est-il passé?

2) Pouvez-vous penser à des situations où vous avez été parfaitement capable d'exprimer, de montrer ou d'expliquer ce que vous pensiez? Ou éprouviez? Ou vouliez faire? Ici encore, que s'est-il passé?

3) Y a-t-il une constante ici? Les deux types de situation présentent-ils des traits caractéristiques?

4) Essayez-vous jamais de vous exprimer par l'art: peinture, musique, céramique, etc.?

5) Pouvez-vous penser à des situations où vous avez eu des difficultés à vous entendre avec d'autres personnes? De quelles sortes ces situations sont-elles?

6) Qu'en est-il des situations où vous êtes parvenu à vous entendre avec les gens? Pouvez-vous penser à certaines d'entre elles? De quelles sortes ces situations sont-elles?

7) Dans tous ces exemples qu'avez-vous pensé? Qu'avez-vous éprouvé? Que vous êtes-vous proposé de faire? Qu'avez-vous fait effectivement? Qu'en est-il résulté?

8) Pouvez-vous relever des constantes ici? Qu'est-ce qui caractérise les cas – personnes ou situations – que vous réglez bien et ceux que vous réglez mal?

9) Relisant vos réponses aux questions posées dans la présente section, pensez-vous que d'autres personnes seraient d'accord ou en désaccord avec vous? Vous voient-elles comme vous vous voyez vous-même? Certaines seraient-elles d'accord et d'autres en désaccord? Qui?

10) Relisant vos réponses aux questions posées dans la présente section, qu'en pensez-vous? Qu'éprouvez-vous à leur sujet? Que vous proposez-vous de faire à ce sujet?

c) Volonté ou action: aptitudes physiques

1) Quelle est votre capacité d'accomplir des tâches physiques?

2) Eprouvez-vous jamais le besoin de devenir plus adroit, d'être moins gauche, d'améliorer votre aptitude à coordonner vos mouvements? Pouvez-vous citer des exemples?

3) Qu'avez-vous pensé, à l'époque, de chacun de ces exemples? Qu'avez-vous éprouvé? Que vous êtes-vous proposé de faire? Qu'avez-vous fait effectivement?

4) D'autres personnes partageraient-elles cette opinion de vous? Certaines seraient-elles d'accord avec vous et d'autres en désaccord? Qui?

5) Que pensez-vous de vos réponses aux questions posées dans la présente section? Qu'éprouvez-vous à leur sujet? Que vous proposez-vous de faire à ce sujet?

3. Action: faire en sorte que les choses soient faites

a) Pensée: prendre des décisions

1) Comment réagissez-vous lorsque vous avez à choisir entre plusieurs possibilités, chacune ayant ses avantages et ses inconvénients? Pouvez-vous penser à des exemples?

2) Dans chacun de ces exemples, qu'avez-vous pensé? Qu'avez-vous éprouvé? Que vous êtes-vous proposé de faire? Qu'avez-vous fait effectivement? Qu'en est-il résulté?

3) Trouvez-vous facile ou difficile de dire non à quelque chose? Pouvez-vous penser à quelques exemples de cas où vous avez pu ou n'avez pas pu dire non à quelque chose dont vous saviez que le choix n'était pas le bon? Dans tous ces cas, qu'avez-vous pensé? Qu'avez-vous éprouvé? Que vous êtes-vous proposé de faire? Qu'avez-vous fait effectivement? Qu'en est-il résulté?

4) Quelles ont été les deux ou trois décisions les plus difficiles que vous ayez eu à prendre au cours des douze derniers mois? De qui et de quoi s'agissait-il? Qu'avez-vous pensé? Qu'avez-vous éprouvé? Que vous êtes-vous proposé de faire? Qu'avez-vous fait effectivement? Qu'en est-il résulté?

5) Pouvez-vous noter des constantes ici? Paraissez-vous réagir d'une manière particulière à certaines catégories de problèmes ou de décisions à prendre?

6) D'autres personnes partageraient-elles cette opinion de vous? Certaines seraient-elles d'accord avec vous et d'autres en désaccord? Qui?

7) Que pensez-vous de vos réponses aux questions posées dans la présente section? Qu'éprouvez-vous à leur sujet? Que vous proposez-vous de faire à ce sujet?

b) Sentiments: persévérer lorsque les choses deviennent difficiles

1) Pouvez-vous penser à des déconvenues, des échecs, des déceptions que vous avez eus récemment? Que s'est-il passé? Qu'avez-vous pensé? Qu'avez-vous éprouvé? Que vous êtes-vous proposé de faire? Qu'avez-vous fait effectivement? Qu'en est-il résulté?

2) Qu'en est-il d'autres cas de malheur, de souffrance? Comment vous y êtes-vous pris? Pouvez-vous penser à quelques exemples?

3) Voyez-vous ici des constantes?

4) D'autres personnes partageraient-elles cette opinion de vous? Conviendraient-elles que c'est ainsi que vous réagissez? D'autres n'en conviendraient-elles pas? Qui?

5) Que pensez-vous des réponses que vous avez données ici? Qu'éprouvez-vous à leur sujet? Que vous proposez-vous de faire à ce sujet?

c) Volonté: prendre des initiatives

1) Pouvez-vous penser à quelques occasions récentes où vous avez pris une initiative, mis quelque chose en train, êtes intervenu pour faire agir?

2) Pouvez-vous penser à quelques occasions où vous ne l'avez pas fait, où vous avez attendu que quelqu'un d'autre commence? Pourquoi cela?

3) Dans chacun de ces divers cas (où vous avez ou n'avez pas pris l'initiative), qu'avez-vous pensé? Qu'avez-vous éprouvé? Que vous êtes-vous proposé de faire? Qu'avez-vous fait effectivement? Qu'en est-il résulté?

4) Que pensez-vous de tout cela? Qu'en éprouvez-vous? Que vous proposez-vous de faire?

4. Identité: «Je suis content d'être moi»

a) Pensée: ce que vous savez de vous-même

1) Pouvez-vous, en deux ou trois pages, vous décrire, caractéristiques physiques comprises? Décrire votre personnalité? Vos points forts et vos points faibles? Ce que vous pensez, ressentez et faites dans diverses situations? (Vous devez en être capable maintenant si vous avez répondu de la bonne façon aux autres questions!)

2) Pourquoi ne montreriez-vous pas cette description à quelques collègues, amis, membres de la famille? Voyez ce que sont leurs réactions. Vous pouvez écrire de façon impersonnelle (disant «il» ou «elle» plutôt que «je») et leur demander s'ils reconnaissent la personne décrite.

3) Avez-vous été surpris de l'une ou l'autre de vos réponses aux autres questions du questionnaire? Pourquoi? Qu'en pensez-vous? Qu'éprouvez-vous à ce sujet? Y a-t-il quelque chose que vous voulez faire à ce sujet?

4) Pouvez-vous penser à des cas où vous saviez ce que vous pensiez, éprouviez et faisiez mais avez été incapable d'utiliser consciemment ce que vous saviez pour agir sur les événements?

5) Pouvez-vous penser, au contraire, à certains cas où vous avez été capable d'utiliser consciemment ce que vous saviez?

6) Y a-t-il eu des cas où vous vous rendez compte maintenant, en y réfléchissant, que vous n'étiez pas conscient de ce que vous pensiez, éprouviez et faisiez, mais qu'il aurait été utile que vous en eussiez été conscient?

7) Dans tous ces exemples, qu'avez-vous pensé? Qu'avez-vous éprouvé? Que vous êtes-vous proposé de faire? Qu'avez-vous fait effectivement? Qu'en est-il résulté?

8) Voyez-vous apparaître ici quelque constante ou thème?

9) D'autres personnes voient-elles en vous quelqu'un qui a ou qui n'a pas conscience de soi? Qui?

10) Que pensez-vous de ces réponses? Qu'en éprouvez-vous? Que vous proposez-vous de faire à leur sujet?

b) Sentiments: ce que vous éprouvez à votre propre égard

1) Dans la section précédente, on vous demandait de vous décrire. Maintenant qu'éprouvez-vous à votre égard? Que ressentez-vous devant votre physique, votre personnalité, vos points forts et vos points faibles?

2) Imaginez qu'on vous a demandé de donner par écrit des renseignements sur votre caractère. Que diriez-vous?

3) Comment les sentiments que vous avez à votre égard agissent-ils sur vous et sur ce que vous faites? Pouvez-vous donner quelques exemples de la façon dont ils agissent?

4) Les autres connaissent-ils les sentiments que vous avez à votre propre égard?

5) Relisant vos réponses aux questions posées dans la présente section, qu'en pensez-vous? Qu'éprouvez-vous à leur sujet? Que vous proposez-vous de faire à ce sujet?

c) Volonté: qui vous mène?

1) Avez-vous une idée de votre but et de vos mobiles dans la vie?

2) Si c'est le cas, qu'est-ce? Qu'éprouvez-vous à ce sujet? Que faites-vous pour atteindre votre but?

3) Si ce n'est pas le cas, qu'en pensez-vous? Que voudriez-vous faire à ce sujet?

4) Qui a une influence sur vous, sur vos pensées, vos sentiments, ce que vous voulez faire, ce que vous faites effectivement? Qui compose votre «réseau d'influences»? (Vous pouvez peut-être faire un graphique montrant qui vous influence et comment.)

5) Pouvez-vous voir quels effets, bons et mauvais, ont ces influences? Qu'en pensez-vous? Qu'éprouvez-vous à leur sujet? Que vous proposez-vous de faire à ce sujet?

5. Intégration

1) Combien de temps et quelle quantité d'énergie consacrez-vous à votre travail? A votre foyer et à votre famille? A vos amis? A vos hobbies? A un travail dans la communauté?

2) Etes-vous surtout une personne qui pense? Ou qui sent? Ou qui agit? Y a-t-il une sorte d'équilibre entre ces tendances?

3) A quoi vous consacrez-vous le plus: à travailler à votre formation ou à celle des autres?

4) Qui sont ces autres? Y en a-t-il qui sont laissés de côté?

5) Passez-vous plus de temps à vous préparer (en vous formant) ou à agir?

6) Relisant les réponses que vous avez faites dans la présente section, les tiers partageraient-ils l'opinion que vous avez de vous-même? Ou certains seraient-ils d'accord avec vous et d'autres en désaccord?

7) Relisant les réponses que vous avez faites dans la présente section, qu'en pensez-vous? Qu'éprouvez à leur sujet? Que vous proposez-vous de faire à ce sujet?

INDICATIONS TIRÉES DE VOTRE VIE:
TRAVAIL DE BIOGRAPHIE

Jusqu'ici, nous avons examiné trois moyens d'obtenir des renseignements: en les demandant aux tiers, en considérant les incidents critiques et en utilisant des questionnaires spéciaux.

Avec la quatrième méthode, nous nous servirons de toute votre vie. Nous disons souvent que c'est un «travail de biographie», mais comme il s'agit de votre propre vie il vaudrait mieux parler d'«autobiographie». Son objet est d'établir un rapport entre votre passé, votre vie présente et votre avenir de manière qu'ils présentent un sens pour vous.

Comme précédemment, nous ne nous intéressons qu'à la première ou à la deuxième étape du processus du jugement sur soi (figure 6): obtenir des renseignements.

La méthode biographique comporte quatre étapes dans la collecte des renseignements, à savoir:

o   les événements de votre vie;

o   les périodes et les phases;

o   les thèmes;

o   les questions que vous rencontrez.

Nous aborderons ces quatre étapes l'une après l'autre. Comme pour toutes les méthodes traitées dans ce chapitre, vous pouvez faire ce travail tout seul ou avec quelqu'un d'autre.

Les événements de votre vie

Pour commencer, vous devez décider des aspects de votre vie que vous voulez considérer. Nous ne voulons pas dire telle ou telle période de cette vie mais une de ses composantes car la méthode veut que vous revoyiez toute votre vie passée ou, du moins, aussi loin que vous le permettent vos souvenirs.

Figure 27. Cours de la vie

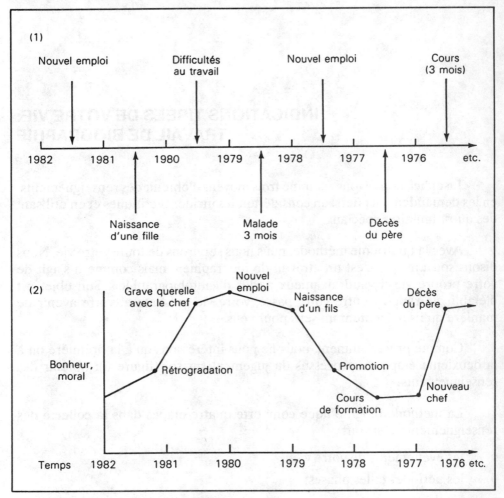

Qu'entendons-nous donc par aspect ou composante? Il se peut que vous ne vouliez ne considérer que ce que vous avez vécu au travail, c'est-à-dire revoir le passé en vous concentrant sur ce qui, dans votre vie, était en rapport avec votre travail.

D'autre part, vous pouvez très bien vouloir considérer tous les aspects de votre vie: le travail, la famille, les amis, etc.

Evidemment, c'est à vous de décider si vous voulez tout regarder ou vous concentrer sur ce que vous avez vécu au travail. Nous serions cependant enclins à suggérer que, si vous êtes indécis, vous trouverez peut-être utile de prendre la vue la plus large et de considérer tous les aspects de votre vie.

Une fois votre décision prise, vous commencerez par revoir votre vie en en relevant les événements saillants. Le mieux est souvent de le faire en remontant dans le passé, c'est-à-dire en partant du moment présent et en vous remémorant les événements à rebours.

Si vous considérez tous les aspects de votre vie, tous les événements saillants auront leur valeur. En revanche, si vous vous concentrez sur votre travail, vous devrez ne retenir que les événements qui ont eu de l'importance dans votre travail.

Il y a d'autres aspects de votre vie sur lesquels vous désirez peut-être vous concentrer, par exemple les événements où interviennent des personnes (c'est-à-dire qui concernent la manière dont vous êtes en rapport avec des tiers) ou l'acquisition des connaissances. Mais vous constaterez probablement que ces événements sont trop limités pour être d'une utilité particulière ici. Vous pourrez d'ailleurs y revenir et vous concentrer sur eux plus tard.

Qu'est-ce qu'un événement? Bien que le mot soit difficile à définir, vous devez chercher les faits particuliers qui se sont passés, qui restent fixés dans votre mémoire. Les événements peuvent n'avoir duré que très peu de temps ou très longtemps. Dans l'un et l'autre cas, ce doivent être des faits bien précis et bien distincts des autres.

Il y a plusieurs façons de noter les événements. Vous pouvez en faire simplement la liste. Vous pouvez aussi tracer une horizontale, représentant le temps, et y marquer les événements aux endroits voulus (dans le temps), comme il est indiqué dans la figure 27. Dans cet exemple, les événements en rapport avec le travail sont indiqués au-dessus de la ligne, les autres au-dessous, bien que cela ne soit pas nécessaire.

Une autre possibilité consiste à faire un graphique, avec les moments marqués sur l'axe horizontal et votre bonheur ou votre moral sur l'axe vertical, comme le montre la deuxième partie de cette figure.

Périodes ou phases

Ayant fait le tri des principaux événements de votre vie, il s'agit d'essayer ensuite de caractériser les périodes ou les phases séparant les événements en les décrivant comme il convient. Cela dépendra entièrement de vous et des événements. Dans l'exemple de la figure 27, partie 2), on pourrait appeler 1976-77 «période de deuil»; 1977-1979 «je me ressaisis»; 1979-1981 «tout va pour le mieux»; 1981-82 «rien ne va plus». C'est entièrement à vous qu'il appartient de caractériser ces périodes et de les noter par écrit ou de les marquer sur le graphique.

Thèmes

L'étape suivante dans cette méthode biographique vous amène à considérer votre vie − ses événements et ses phases −, à essayer d'en relever les thèmes ou constantes qui apparaissent.

Les thèmes peuvent être faits de toutes sortes de choses. Au cas où cela pourrait vous aider d'avoir quelques exemples, nous vous en donnons ci-après. Mais il est important de rechercher vos propres thèmes et de ne pas vous laisser influencer par les tiers. Il vaut donc mieux que vous cherchiez les vôtres et que vous ne recouriez aux exemples que si vous ne vous en sortez pas.

En général, un thème peut être:

o   une constante de votre comportement ou de vos sentiments;

o   une caractéristique permanente de votre personnalité ou de votre vie;

o   certaines tendances à agir de telle ou telle manière;

o   certaines caractéristiques personnelles particulières qui se font jour.

Voici quelques exemples pris dans les biographies d'un certain nombre de gestionnaires:

o   difficultés constantes avec l'autorité;

o   tendance à me sous-estimer;

o   habitude de changer de travail chaque fois que les difficultés commencent;

o   tendance, chaque fois que j'étais placé devant une tâche sérieuse à accomplir, à croire que je n'étais pas capable de réussir, de sorte que je renonçais sans même essayer;

o   difficultés perpétuelles de travailler avec un collègue de l'autre sexe;

o   cédant toujours lorsque mes idées n'étaient pas les mêmes que celles de quelqu'un d'autre;

o   tendance à esquiver les responsabilités;

o   tendance à rechercher les responsabilités;

o   toujours impatient d'obtenir rapidement des résultats;

o   tendance à paraître provoquer des conflits comme si je faisais tout pour m'attirer des ennuis;

o   conflit entre mes obligations de mère et celles de gestionnaire;

o   ayant souvent le sentiment que ce dont je suis capable et la contribution que j'apporte à l'organisation sont sous-estimés;

o   mécontente des difficultés que les gestionnaires femmes rencontrent dans mon organisation.

MAIS SOUVENEZ-VOUS QUE CE NE SONT LÀ QUE DES EXEMPLES. CE SONT VOS THÈMES, TIRÉS DE VOTRE VIE, QUI IMPORTENT.

Vous pouvez trouver des modèles parmi les thèmes eux-mêmes. Par exemple:

o   Certains thèmes qui étaient d'ordinaire présents dans votre vie semblent-ils maintenant avoir disparu?

o   Certains thèmes ont-ils toujours été présents dans votre vie?

o   De nouveaux thèmes sont-ils en train d'apparaître?

o   Y a-t-il des thèmes qui apparaissent, puis disparaissent pendant un certain temps, puis reparaissent?

Questions et problèmes personnels qui se présentent à vous

Dans la méthode biographique, les principales sources des questions qui se présentent à vous sont au nombre de trois. Ce sont:

o   le tableau général de votre vie jusqu'ici;

o   les thèmes;

o   les tiers.

La troisième – les tiers – est naturellement une de celles qui ont déjà été examinées dans cette annexe, mais nous y reviendrons, ne serait-ce que brièvement.

Mais, pour commencer, regardons le tableau général de votre vie jusqu'ici. Imaginez que quelqu'un vous raconte sa vie, faite des événements et des phases qui constituent la vôtre. En d'autres termes, regardez votre vie objectivement comme si c'était celle de quelqu'un d'autre.

Que diriez-vous de cette vie à cette personne?

o   Qu'en penseriez-vous?

o   Qu'éprouveriez-vous à son sujet?

o   Que voudriez-vous que cette personne fasse à ce sujet, que lui recommanderiez-vous de faire?

Vous constaterez probablement que ce n'est pas aussi facile que cela en a l'air. Il est inévitable que, par sa nature même, une chose aussi capitale pour nous que notre vie éveille en nous des sentiments très vifs. Il est très difficile de rester objectif.

Néanmoins, cette technique, consistant à essayer de prendre un peu de recul et de porter un regard calme et objectif sur nous-mêmes, est très utile.

Elle peut certainement aider, sur bien des points, à votre autoformation (voyez les différentes méthodes aux chapitres 4 et 7).

Essayez donc de prendre une vue détachée – comme si vous ne faisiez qu'observer et si vous écoutiez quelqu'un vous raconter sa vie. Cela jettera probablement quelque lumière sur certaines questions que vous rencontrez lorsque vous considérez le tableau général de votre vie jusqu'ici.

Cela fait, vous pouvez examiner les thèmes de votre biographie. Cela peut être une source féconde de renseignements, de questions et de problèmes. Demandez-vous en particulier:

o   Y a-t-il dans ma vie certains thèmes que je voudrais supprimer ou, du moins, atténuer?

o   Y a-t-il certains thèmes qui, quoique «agréables», «utiles» ou «bons» à ce moment-là, ont perdu maintenant leur utilité et dont il conviendrait qu'ils s'effacent?

o   Y a-t-il dans ma vie certains thèmes que je voudrais renforcer ou avoir en plus grand nombre?

o   Y a-t-il certains thèmes qui sont absents mais dont je voudrais qu'ils soient présents?

Si vous regardez votre vie de cette façon, vous ferez très probablement surgir quelques questions et problèmes devant vous.

Enfin, les questions pouvant provenir de tiers. Nous avons déjà examiné ce point plus haut dans l'annexe. Si vous avez déjà pratiqué cette méthode, vous n'aurez peut-être pas besoin de le faire de nouveau bien que vous puissiez en prendre une vue nouvelle, ayant considéré l'ensemble de votre vie, en particulier puisque nous suggérons ici une approche différente. Par exemple, vous pouvez avoir pensé à d'autres personnes qui ont actuellement de l'importance à vos yeux mais aussi à d'autres qui en ont eu dans le passé, qui sont toujours bien présentes à votre esprit même si elles ne sont pas physiquement présentes. Ces personnes peuvent très bien vous dire quelque chose ou vous poser des questions.

Par exemple, un gestionnaire membre d'un groupe d'autoformation était incapable d'oublier quelque chose que lui avait dit son chef précédent. La question n'était toujours pas résolue et était pour lui une source de difficultés considérables. S'en étant rendu compte, il fut capable de dire: «Allez-vous-en, je ne suis plus à vos ordres», liquidant ainsi cette «affaire pendante». Un autre exemple courant est celui où vous ne cessez de penser à quelqu'un qui est mort: un père ou une mère, un enfant ou un ami. Très souvent, c'est une affaire pendante sous forme de dette envers la mémoire de cette personne, dette qui doit être acquittée. Il s'y attache souvent un sentiment de culpabilité dont on a besoin de se débarrasser.

Avec la méthode biographique, il vous est donc possible de reconnaître les questions et les déclarations qui émanent des autres:

1) En notant toutes les personnes présentes à votre esprit, ce qui inclut celles qui sont importantes à vos yeux même si elles ne sont pas physiquement présentes.

2) En examinant la nature de vos relations avec elles:
   - Comment les relations ont-elles pris ce tour?
   - En a-t-il toujours été ainsi?
   - Que pensez-vous de ces relations?
   - Qu'éprouvez-vous à leur sujet?
   - Que voudriez-vous faire à ce sujet?

3) En vous demandant (et en vérifiant au besoin avec les intéressés):
   - Que me disent ces gens?
   - Que me demandent-ils?

4) En vous demandant:
   - Y a-t-il quelque chose que je veuille leur dire?
   - Y a-t-il quelque chose que je veuille leur demander?

Après avoir passé par tout cela – événements, phases, thèmes, questions et problèmes se présentant à vous –, vous êtes prêt à passer à la partie suivante du processus du jugement sur soi (chapitre 2).

A première vue, la méthode biographique utilisée pour porter un jugement sur soi est une de celles que vous n'utiliserez pas souvent ou continuellement. Cela est vrai dans un certain sens mais vous découvrirez très probablement, après l'avoir utilisée une fois, que vous aurez grand avantage à y revenir de temps à autre. Par exemple, il vous arrivera de vous rappeler subitement différents événements ou de découvrir d'autres phases.

Au cours d'une période donnée, vous repérerez probablement des thèmes nouveaux. Ils pourront être entièrement nouveaux ou pourront être anciens mais vus sous un jour nouveau qui change leur caractère.

Les questions de tiers pourront aussi changer, naturellement: questions nouvelles posées par les mêmes personnes et questions nouvelles posées par de nouvelles personnes, qui, vous vous en rendez compte, sont présentes dans votre conscience.

Au fait, vous pourrez vouloir comparer votre biographie avec les problèmes typiques de formation auxquels vous avez fait face à différents moments de votre vie, comme le montre le chapitre 9.

RÉSUMÉ DE QUELQUES MÉTHODES DE RASSEMBLEMENT DES DONNÉES POUR L'ANALYSE ORGANISATIONNELLE

1. Observation

L'observateur regarde ce qui se passe, examine attentivement comment les choses sont faites, parfois en s'aidant d'une liste de contrôle ou d'un système de classification.

Avantages

o   Utile pour obtenir une vue d'ensemble.

o   Peut mettre en lumière des renseignements que ne révéleront pas les entretiens ou les questionnaires soit parce que la personne interrogée n'en est pas consciente, soit parce qu'elle ne veut pas les révéler.

Inconvénients

o   Ne fait voir que la surface; il faut continuer à chercher pour explorer plus à fond et arriver aux questions, problèmes et causes sous-jacentes.

2. Entretien structuré

Le questionneur planifie soigneusement l'entretien, préparant d'avance toutes les questions selon une liste préétablie de ce qu'il veut savoir.

Avantages

o   relativement rapide;

o   les questionneurs non spécialistes se sentent d'ordinaire plus sûrs s'ils peuvent s'appuyer sur une structure préétablie;

o   permet ensuite une analyse numérique ou quantitative des données;

o   permet de normaliser le rassemblement des données, c'est-à-dire de poser les mêmes questions à chaque personne interrogée.

Inconvénients

o   portée limitée des réponses, déterminée par le cadre dans lequel sont renfermées les questions;

o   sans souplesse et sans réaction aux indications que peut fournir l'interrogé à moins qu'elles ne se trouvent être le sujet d'une question prévue d'avance;

o   sans réaction à d'autres aspects ou domaines de l'enquête considérés comme n'étant pas compris dans la liste préétablie des questions.

3.   Entretien non structuré

Le questionneur «procède au jugé», encourage la personne interrogée à parler, est en quête des indications qu'elle peut donner et des domaines qui l'intéressent pour les scruter par de nouvelles questions.

Avantages

o   souple; prend note des nouveaux domaines et des nouvelles données ressortant des réponses, permettant ainsi de découvrir des choses nouvelles et d'obtenir une vue plus étendue de ce qui se passe dans l'organisation.

Inconvénients

o   demande d'habitude plus de temps que l'entretien structuré;

o   demande plus d'habileté de la part du questionneur;

o   se prête moins à une analyse numérique ou quantitative ultérieure;

o   permet une analyse qualitative (encore que ceci requiert une très grande habileté).

4.   Entretien semi-structuré

C'est une combinaison de l'entretien structuré et de l'entretien non structuré. L'interrogateur note d'avance les domaines sur lesquels portera principalement l'entretien, mais laisse à la personne interrogée toute latitude pour répondre, procédant surtout par intuition, enchaînant sur les indications fournies, etc. Mais l'interrogateur s'assure en même temps qu'à la fin de l'entretien tous les points principaux prévus dans le plan ont été abordés.

Avantages

o   garantit que tout a été traité, tout en permettant de procéder avec souplesse et de rechercher dans de nouvelles directions;

o   permet une analyse tant quantitative que qualitative des données fournies.

Inconvénients

o   prend plus de temps que l'entretien structuré;

o   demande beaucoup d'habileté;

o   danger, pour l'interrogateur, de se sentir obligé d'aborder tous ses points principaux ou, au contraire, d'oublier de le faire.

5.   Entretien accompagné de conseils

Semblable à l'entretien non structuré ou semi-structuré mais avec ceci en plus que l'interrogateur reprend avec la personne interrogée les réponses qu'elle a données et en examine les conséquences avec elle. Ainsi, non seulement l'entretien fournit des renseignements mais encore ouvre des possibilités de formation.

Avantages

o   souple, peut conduire aux premiers stades de la formation.

Inconvénients

o   prend beaucoup de temps;

o   difficile; demande de l'adresse tant chez l'interrogateur-conseiller que chez la personne interrogée.

6.   Questionnaire

L'interrogateur décide des questions et des données dont on a besoin puis présente ces questions par écrit aux personnes interrogées. La présentation peut se faire face à face ou, plus souvent, à distance (par exemple par la poste).

Avantages

o une fois qu'il est conçu et établi, le questionnaire peut être remis à de nombreuses personnes;

o ce peut donc être un moyen relativement rapide d'obtenir des données d'un vaste échantillon;

o se prête à une analyse ultérieure:
   – quantitative si les questions appellent des réponses précises ou des réponses par oui ou par non ou offrent plusieurs choix;
   – qualitative si les questions sont d'une large portée, auxquelles chacune des personnes interrogées ne peut répondre que par des développements écrits.

Inconvénients

o on est étonné de voir combien il est difficile de concevoir de bons questionnaires;

o il est irritant de constater avec quelle facilité un mauvais questionnaire peut être conçu;

o sans souplesse et sans réaction aux réponses;

o dépendant du cadre dans lequel sont formulées les questions.

7. Echelles d'évaluation

Au lieu de poser de véritables questions, les échelles demandent à la personne interrogée de procéder à une sorte d'évaluation. Par exemple, combien de fois vous a-t-on consulté sur vos besoins de formation?

Très souvent   Parfois   A l'occasion   Jamais

Les réponses peuvent être extrêmement diverses, dont quelques-unes figurent dans le présent livre.

Avantages

o comme les questionnaires, peuvent être utilisées avec de nombreuses personnes et les réponses sont rapides;

o se prêtent aisément à l'analyse numérique, quantitative;

o offrent un moyen commode de tracer un graphique des scores, qu'on renvoie à ceux qui ont répondu ou qu'on fait figurer dans des rapports.

Inconvénients

o   dépendent du cadre et du modèle utilisés pour décider des questions;

o   exposent au danger de tomber dans le piège d'une analyse statistique fausse et non fondée;

o   on est étonné de voir combien il est difficile de concevoir une échelle valable et sûre;

o   il est extrêmement facile de concevoir une échelle qui semble valable et sûre mais qui, en réalité, ne l'est pas.

8.   Journaux personnels et incidents critiques

On a dit, dans ce livre, que ces procédés étaient des moyens permettant de porter un jugement sur soi-même. En outre, ils peuvent être utilisés au niveau de l'organisation, l'enquêteur rassemblant les journaux personnels ou les comptes rendus d'incidents et procédant à une analyse générale.

Avantages

o   demandent moins de préparation et de travail de conception que les entretiens, les questionnaires et les échelles;

o   ne dépendent pas d'une structure ou d'un modèle préétablis;

o   permettent de mettre en lumière les vraies questions, importantes.

Inconvénients

o   demandent beaucoup de temps et sont souvent mal vus des personnes interrogées;

o   difficiles à analyser.

9.   Analyse de rôles

C'est encore l'application, au niveau de l'organisation, d'une méthode déjà examinée pour le jugement qu'une personne porte sur elle-même (annexe 1). Au niveau de l'organisation, tous les membres d'une équipe, d'un groupe ou d'un service travaillent ensemble à l'exercice, se renseignent mutuellement sur ce qu'ils attendent les uns des autres et négocient sur ce qu'ils estiment ne pas correspondre à leur attente.

Avantages

o   peut être très utile pour former une équipe ou un service;

o   a de la valeur pour la formation et les diagnostics.

Inconvénients

o   prend beaucoup de temps;

o   est intimidante;

o   demande de l'adresse et de l'engagement.

10.   Séances de communication des données

Les données recueillies par les différentes méthodes sont communiquées à ceux qui ont répondu, cela lors d'une réunion spéciale. Avec l'aide d'un tiers «neutre» (par exemple un formateur), elles font alors l'objet d'une discussion et sont examinées du point de vue de ce que les membres pensent, sentent et veulent.

Avantages

o   peuvent mener à l'action et à la formation;

o   impliquent la participation.

Inconvénients

o   peuvent exiger plusieurs réunions pendant un certain temps;

o   demandent en général beaucoup d'habileté de la part du formateur (par exemple, d'avoir l'expérience des décisions prises en groupe, du règlement des conflits).

QUESTIONNAIRE SUR LES RAPPORTS DE FORMATION

Ce questionnaire énonce 35 faits. A la droite de chaque énoncé se trouvent les numéros 5, 4, 3, 2, 1, 0. Ces numéros correspondent aux catégories suivantes:

5 ...   aide beaucoup à votre formation

4 ...   aide passablement à votre formation

3 ...   n'aide ni n'entrave votre formation

2 ...   entrave passablement votre formation

1 ...   entrave beaucoup votre formation

0 ...   sans pertinence

Pour chacun des faits énoncés, entourez d'un cercle un de ces numéros 5, 4, 3, 2, 1, 0, selon ce que vous estimez être le cas dans votre organisation (en utilisant la notation ci-dessus).

1. La franchise et l'honnêteté dont on fait
    preuve en cas de désaccord 5 4 3 2 1 0

2. La mesure dans laquelle les rôles sont
    définis et compris 5 4 3 2 1 0

3. L'atmosphère amicale qui règne en général
    dans votre service 5 4 3 2 1 0

4. L'attitude de votre chef lorsque vous
    faites une erreur 5 4 3 2 1 0

5. Le degré d'ouverture d'esprit et de
    confiance entre vous et vos subordonnés 5 4 3 2 1 0

6. La mesure dans laquelle il vous est
    possible d'exprimer vos idées 5 4 3 2 1 0

7. L'atmosphère amicale qui règne en général
    dans toute l'organisation 5 4 3 2 1 0

8. La mesure dans laquelle il vous est possible
    de manifester vos sentiments 5 4 3 2 1 0

9. Le degré d'ouverture d'esprit et de confiance
entre votre chef et vous 5 4 3 2 1 0

10. L'attitude de vos subordonnés quand vous
faites une erreur 5 4 3 2 1 0

11. La mesure dans laquelle vous êtes libre
de décider des mesures à prendre 5 4 3 2 1 0

12. La mesure dans laquelle vous êtes libre de contester
les habitudes et pratiques existantes 5 4 3 2 1 0

13. La mesure dans laquelle vos supérieurs respectent
vos vues, vos idées et vos opinions 5 4 3 2 1 0

14. La mesure dans laquelle les cadres supérieurs
se prévalent de leur rang ou de leurs fonctions
pour prendre des décisions 5 4 3 2 1 0

15. La réaction de vos supérieurs lorsque vous
admettez avoir une difficulté ou un problème 5 4 3 2 1 0

16. L'attitude des autres gestionnaires
de même ancienneté que vous lorsque
vous faites une erreur 5 4 3 2 1 0

17. Le degré d'ouverture d'esprit et de confiance
entre vous et les autres gestionnaires
de même ancienneté que vous 5 4 3 2 1 0

18. La réaction de vos subordonnés lorsque vous
admettez avoir une difficulté ou un problème 5 4 3 2 1 0

19. La mesure dans laquelle vous vous sentez capable
de demander de l'aide 5 4 3 2 1 0

20. La réaction des gestionnaires de même ancienneté
que vous lorsque vous admettez avoir
une difficulté ou un problème 5 4 3 2 1 0

21. La manière dont le travail est attribué
et les tâches réparties 5 4 3 2 1 0

22. La manière dont on fait votre éloge
ou l'on vous blâme 5 4 3 2 1 0

23. Ce qui se passe lorsque vous voulez essayer
de faire les choses autrement 5 4 3 2 1 0

24. La capacité de vos supérieurs de comprendre
les gens et de les traiter de façon satisfaisante 5 4 3 2 1 0

---

25. La qualité de ce que vous communiquent
    vos supérieurs 5 4 3 2 1 0

26. La mesure dans laquelle les décisions
    sont prises en considération des besoins
    de la tâche à accomplir 5 4 3 2 1 0

27. La mesure dans laquelle les décisions
    sont prises pour satisfaire les désirs personnels
    d'un petit nombre de personnes puissantes 5 4 3 2 1 0

28. La mesure dans laquelle les décisions
    sont prises en conformité des règlements,
    des procédures et de programmes bien établis 5 4 3 2 1 0

29. La mesure dans laquelle les décisions sont prises
    en considération des besoins
    de formation d'un aussi grand nombre
    de personnes que possible 5 4 3 2 1 0

30. La mesure dans laquelle vous êtes informé
    de la performance de votre organisation 5 4 3 2 1 0

31. La qualité des réunions informelles
    auxquelles vous participez 5 4 3 2 1 0

32. La qualité des réunions officielles
    auxquelles vous assistez 5 4 3 2 1 0

33. La mesure dans laquelle vous avez le sentiment
    que vos supérieurs comprennent le rôle que vous
    jouez dans l'organisation 5 4 3 2 1 0

34. La mesure dans laquelle vos subordonnés
    comprennent le rôle que vous jouez
    dans l'organisation 5 4 3 2 1 0

35. La mesure dans laquelle les gestionnaires
    d'autres services comprennent le rôle
    que vous jouez dans l'organisation 5 4 3 2 1 0

Notation du questionnaire

Vous pouvez soit considérer les points donnés par diverses personnes pour chaque question et avoir ainsi une vue générale des opinions sur des questions déterminées, soit obtenir des indices globaux comme suit:

$$\text{Indice des rapports favorables à la formation} = \frac{\text{Nombre des réponses donnant 5 ou 4}}{\text{Nombre des réponses donnant 5, 4, 3, 2 ou 1}}$$

Indice des rapports
défavorables à   =   Nombre des réponses donnant 1 ou 2
la formation   ────────────────────────────────────
                        Nombre des réponses donnant 5, 4, 3, 2 ou 1

   Ces indices iront de 0 à 1.

DIRECTIVES POUR LA CONDUITE DES GROUPES DE FORMATION

Dans la présente annexe, nous allons traiter de certains points dont il y a lieu de tenir compte pour diriger des groupes de formation-action, des groupes d'autoformation ou des groupes d'assistance mutuelle (ces derniers seront dirigés par les gestionnaires eux-mêmes sans un formateur professionnel agissant en cette qualité). On a déjà donné un aperçu de ces trois catégories de groupes au chapitre 8. Cet aperçu et la présente annexe se complètent.

Il sera utile de relier les directives aux principales phases par lesquelles passent les groupes, à savoir:

1) constitution et recrutement;
2) confiance;
3) conscience du but;
4) engagement;
5) stratégie générale;
6) application de la stratégie;
7) examen périodique des progrès accomplis;
8) dissolution;
9) prise des décisions.

1. Constitution et recrutement

Il est extrêmement important que les gens qui entrent dans un groupe comprennent bien de quoi il va probablement s'agir. Bien que le groupe décidera certainement lui-même de la méthode qui va être finalement suivie (c'est-à-dire de la stratégie à adopter, voir 5) ci-après), il faut cependant s'efforcer de passer en revue les diverses options et possibilités qui s'offrent.

Tenir une réunion d'information avant la constitution du groupe est donc une très bonne idée. Cette réunion serait ouverte à quiconque souhaite peut-être faire partie d'un groupe même si, à ce stade, il n'est pas encore bien décidé à le faire. Un des principaux buts de la réunion serait même de l'aider à se décider.

Un autre point à souligner lors de cette réunion est qu'en faisant partie du groupe on s'engage à se former soi-même et envers les autres. Il faudra pour cela travailler dur et procéder à des échanges très poussés d'informations entre tous les membres.

Vous préférerez peut-être tenir une série de réunions plus petites ou même avoir un entretien particulier avec chaque membre potentiel. Parler à leurs chefs respectifs pour leur exposer l'idée et voir leur réaction peut être aussi une bonne idée.

Il est important de souligner que la participation à un groupe doit être un acte entièrement libre. Personne ne doit être forcé d'en faire partie ou y être envoyé, même si l'on pense que c'est «pour son bien»!

2. Confiance

Une des premières choses qui s'imposent à un groupe est de créer un climat de confiance entre ses membres. Cela est nécessaire si l'on veut que les participants soient disposés à parler d'eux-mêmes, à faire part de leurs préoccupations, à donner et à recevoir des renseignements.

Comme toutes ces phases par où passe un groupe, la création de la confiance n'est pas une étape indépendante, distincte. Elle persiste pendant toute la vie du groupe. Néanmoins, c'est l'un des premiers problèmes qui doivent être abordés.

En principe, la confiance ne s'installe dans le groupe que progressivement, à mesure que les intéressés prendront des risques, se feront part de leurs préoccupations, etc. Mais il faut commencer par prendre certaines mesures pour déclencher le processus.

Il y a bien des manières de le faire, dont quatre sont brièvement données ci-après.

De brefs coups d'œil. On demande à chaque participant d'écrire sur un morceau de papier dix choses importantes sur lui-même. L'un après l'autre, les participants se placent ensuite devant le groupe et reportent ce qu'ils ont écrit sur un tableau noir ou sur un tableau-papier*. Ils peuvent donner des explications s'ils le veulent.

* Les tableaux-papier sont extrêmement utiles pour le travail de groupe. Utilisés avec des crayons-feutres, ils sont plus propres qu'un tableau noir; il est possible d'employer des feutres de différentes couleurs et le résultat peut être conservé pour être consulté à tout moment. En effet, alors qu'il faut effacer le tableau noir quand il est entièrement couvert,

les feuilles de tableaux-papier peuvent être conservées. Il est souvent utile de les fixer au mur pour rappeler aux membres ce qu'ils ont dit.

Il est parfois difficile de trouver le papier qui convient. Il doit être d'une bonne dimension d'un minimum de 30 cm sur 60 cm. Si vous ne savez pas où vous en procurer facilement, vous pourrez avoir à l'importer, avec toutes les difficultés que cela comporte. Mais vous découvrirez peut-être que votre journal local vous laissera avoir des bouts de rouleaux de papier journal vierge, inutilisé, qui fait des feuilles excellentes et bon marché.

Vous pourrez trouver parfois le papier voulu – ou du carton mince – dans une imprimerie privée ou, pour un service public, auprès de l'imprimerie nationale. Les établissements d'enseignement (par exemple les écoles normales) ou les ministères peuvent aussi se le procurer ainsi.

Un autre genre de papier – mais plutôt cher – est le papier d'emballage brun; il semble rehausser les couleurs de l'encre.

Vous aurez probablement à importer les feutres ou à vous les procurer auprès de fournisseurs de matériel d'enseignement, encore que certaines papeteries puissent en avoir. Pour le travail sur tableau-papier, des feutres à pointe large sont nécessaires.

Si vous pouvez en trouver, il existe un produit spécial très pratique pour fixer des feuilles de papier aux murs. Quand on enlève les feuilles, le produit se détache sans endommager la paroi et peut être réutilisé.

Si vous ne disposez pas d'un support spécial pour le tableau-papier, vous pouvez utiliser un chevalet de tableau noir. Les feuilles peuvent être agrafées ou collées sur la planche.

Cet exercice a une variante: on peut demander aux membres d'écrire (sur leurs morceaux de papier) deux listes, à savoir «dix choses importantes me concernant qu'il me serait facile de dire aux autres» et «dix choses importantes me concernant que je trouverais très difficile de dire aux autres». Ils réfléchissent ensuite à leurs deux listes pendant quelques minutes et, quand vient le moment d'écrire devant le groupe, ils peuvent choisir dix de ces choses sur les vingt.

Une lettre au groupe. Chacun des participants écrit une lettre adressée au groupe. Cette lettre peut prendre plusieurs formes. Elle peut être rédigée à la première personne et présenter l'intéressé (par exemple «je m'appelle..., je suis...», etc.). Toutefois, mieux que l'emploi de la première personne, il est sans doute préférable d'écrire comme vous le feriez pour une lettre de référence sur quelqu'un d'autre. Ainsi, vous êtes amené à vous regarder objectivement, ce qui est en soi un utile procédé d'autoformation.

Une fois les lettres écrites, chacun peut lire la sienne au groupe. Ou bien le formateur peut les ramasser et les lire à haute voix en omettant les noms des intéressés. Ou encore, les lettres peuvent être mêlées et distribuées au hasard; chacun lit alors à haute voix celle qu'il a entre les mains, en omettant le nom. Les membres doivent ensuite deviner qui a écrit la lettre. (Cet exercice peut être utile après que le groupe se soit réuni durant un jour ou deux afin que les membres aient la possibilité d'en savoir un peu les uns sur les autres.)

Des événements importants pour la formation. Chaque participant est invité à se rappeler un certain nombre d'événements de sa vie intéressant la formation et à les analyser comme il est dit au chapitre 1 (figure 2). Cela fait, ils se font part de leurs renseignements et en discutent soit à deux, soit en groupes de trois. La discussion devra durer au moins une heure.

La discussion pourra être reprise par tout le groupe.

Il faut à chaque moment insister sur le fait que chaque membre est libre de communiquer autant ou aussi peu qu'il lui plaît de ce qu'il a écrit. Les membres ne doivent pas être obligés d'en révéler plus qu'ils ne le veulent.

La promenade d'aveugle. Cet exercice vise à développer la confiance par des moyens matériels. Les membres se forment en groupes de deux. L'un des deux ferme les yeux (ou on les lui bande) tandis que l'autre le conduit par la main; ils se promènent dans les locaux ou dehors. Le guide doit veiller à ce que celui qui ne voit pas ne se fasse aucun mal. Ils peuvent aussi rendre la promenade plus intéressante en faisant toucher à l'aveugle divers objets (par exemple des meubles, des plantes, des arbres, de la terre, des tasses, des liquides, des personnes).

Au bout de cinq minutes environ, les rôles sont inversés et le guide devient l'«aveugle».

Après la deuxième promenade, le groupe se réunit de nouveau et l'on discute de l'expérience.

3. Conscience du but

Dans cette phase, l'on essaie de faire apparaître plus clairement ce que les membres espèrent retirer de toute l'expérience.

Il est important de bien voir que les buts que se proposent certains changeront très probablement avec le temps. De nouveaux buts peuvent se dessiner ou bien on verra sous un autre jour certains buts primitifs.

Ainsi, comme toutes les autres phases, bien que celle-ci puisse commencer par être la «troisième chose à faire», elle doit aussi être comme un processus continu.

Sans perdre cela de vue, on mentionnera trois méthodes pour atteindre les objectifs et les buts.

Techniques du jugement porté sur soi. Chacune des méthodes indiquées au chapitre 2 peut servir. Les membres peuvent répondre aux questionnaires chacun pour soi (par exemple entre les réunions), puis se faire part de leurs réponses et en discuter. Par ailleurs, il est possible aussi de se mettre à deux pour répondre aux questionnaires portant sur les qualités d'un gestionnaire

réponses et en discuter. Par ailleurs, il est possible aussi de se mettre à deux pour répondre aux questionnaires portant sur les qualités d'un gestionnaire efficace et sur les effets de l'autoformation (annexe 3), questionnaires appelant des réponses nuancées, bien que cela demande beaucoup de temps.

Une lettre au groupe. Méthode semblable à la méthode vue dans la section précédente («confiance»). Dans ce cas, la lettre doit mentionner les raisons pour lesquelles la personne est là, pourquoi elle pense que le groupe l'aidera dans son autoformation, à quoi elle espère arriver et ce qu'elle est disposée à apporter.

Ce dernier point est important; il est toujours utile de rappeler aux membres qu'ils retireront d'autant plus de profit du groupe qu'ils sont disposés à lui apporter davantage.

Qui suis-je, pourquoi suis-je ici? Bien que cette méthode paraisse toute simple, elle peut avoir quelque chose de très provoquant et intimidant.

Le formateur annonce qu'il va écrire une série de questions au tableau noir ou sur le tableau-papier.

Vous écrirez alors la première question, qui est:

«Qui suis-je?»

Les membres écrivent leurs réponses sur un morceau de papier. Puis vous écrivez ou lisez la seconde:

«Pourquoi suis-je ici?»

De nouveau, le temps de répondre. Puis la troisième question:

«Qui suis-je?»

Cette question provoque sans doute une grande surprise. Ne répondez à aucune de leurs questions ni ne faites aucune observation.

La quatrième question est:

«Pourquoi suis-je ici?»

Puis:

«Qui suis-je?»

Ensuite:

«Pourquoi suis-je ici?»

Et ainsi de suite. D'ordinaire, quatre paires de questions (c'est-à-dire huit en tout) suffisent. Vous discutez alors des réponses soit dans le groupe entier, soit à deux, soit en petits sous-groupes.

Vous constaterez normalement que les réponses ont commencé avec des noms suivis par des déclarations comme «je suis ici pour me former». Lorsqu'on

---

sera arrivé à la quatrième ou à la cinquième paire de questions, des buts beaucoup plus précis se seront manifestés.

Mais faites attention, certains n'aiment pas du tout cet exercice. Il importe de les aider plutôt que de les punir.

Peinture et collage. C'est une autre manière quelque peu «insolite» de découvrir les buts. A la différence des autres, elle ne compte pas sur les mots et la facilité de parole des intéressés.

Les membres reçoivent une grande feuille de papier et sont invités à se montrer: *a)* tels qu'ils sont à ce moment, et *b)* tels qu'ils voudraient être. Cette illustration peut prendre la forme d'un tableau (pour lequel vous aurez besoin de couleurs, bien entendu, ainsi que de pinceaux, d'eau, de godets; vous pouvez utiliser aussi des crayons de couleur) ou d'un collage.

Pour faire un collage, on découpe des reproductions dans des revues ou des journaux et on les colle sur la feuille de papier. Vous avez donc besoin, pour cela, de la plus grande quantité possible de vieux journaux, revues, catalogues, brochures, etc. ainsi que de ciseaux et de colle.

4. Engagement

Il ne s'agit là pas tant d'une phase que d'une affaire permanente. Les membres doivent être disposés et à travailler à leurs problèmes et à aider les autres à en faire autant.

Il n'y a pas de manière spéciale de persévérer dans son engagement. Comme formateur, vous devrez être à l'affût de tout signe de relâchement de l'énergie, de l'enthousiasme et de la volonté d'agir. A l'occasion, il peut être utile de recourir à une activité justifiée par les circonstances comme, par exemple, celles qui comportent un risque. Le principal est d'essayer de voir pourquoi l'engagement est faible. Si, par exemple, c'est parce que la confiance laisse à désirer, vous pourrez avoir à travailler de nouveau là-dessus.

L'engagement envers les autres signifie que l'on est disposé aussi à travailler à leurs problèmes même si, par moment, cela signifie que vous fassiez quelque chose qui ne vous intéresse pas beaucoup, ou même quelque chose qui vous fait peur. Encore une fois, en tant que formateur, il vous faudra aider le groupe sur ce point.

Il est important aussi de respecter les limites des autres. Nous voulons dire par là savoir où tracer la ligne lorsque quelqu'un ne veut vraiment pas pousser les choses plus loin.

Le respect des points de vue d'autrui est important aussi. Si cela semble poser un problème, vous pouvez essayer un des exercices pratiqués pour garder l'esprit ouvert.

5. Stratégie générale

Comme formateur, vous pouvez soit décider seul de ce que sera la stratégie générale, soit associer les membres du groupe à votre décision. Cette dernière solution est sans doute préférable si vous pouvez la mener à bien, mais il faut reconnaître qu'elle est difficile.

On a vu au chapitre 8 une série de stratégies possibles. Le groupe lui-même peut cependant en trouver d'autres et il serait utile de penser à en dresser la liste sur un tableau-papier pour faciliter la décision.

Bien entendu, vous pouvez adopter une combinaison de stratégies. En tout cas, vous constaterez très souvent qu'en s'engageant dans une direction on est inévitablement amené à déborder sur certaines autres. Et aussi, avec le temps, vous pourrez vouloir passer d'une stratégie à une autre.

6. Application de la stratégie

Il y a plusieurs manières possibles d'appliquer la stratégie. Les membres peuvent notamment:

o   travailler à deux;

o   travailler en sous-groupes;

o   travailler tous ensemble;

o   faire diverses choses entre les réunions puis discuter des résultats lorsqu'ils se réunissent à nouveau, encore une fois à deux, en sous-groupes ou dans le groupe entier.

7. Examen périodique des progrès accomplis

Il est très important de vérifier régulièrement comment le groupe progresse pour savoir s'il est sur la bonne voie ou, s'il ne l'est pas, pour prendre les mesures qui s'imposent.

Il y a plusieurs moyens de procéder à cette vérification. Le plus simple consiste à demander aux membres leur avis. Un autre moyen, assez semblable, consiste à demander aux membres d'écrire ce que le groupe a eu de bon et de mauvais jusque-là et, ensuite, de leur demander de lire à haute voix ce qu'ils ont écrit ou d'afficher les feuilles de papier sur la paroi.

Vous pouvez aussi utiliser une simple échelle numérique. Il en existe beaucoup mais vous pouvez inventer la vôtre ou prendre celle qui est donnée ici, qui considère principalement les phases d'un groupe d'autoformation telles que les expose ce livre. Sur cette échelle, chaque membre coche l'endroit où il estime que le groupe est arrivé.

Quand chacun l'a fait, les échelles peuvent être affichées au mur, ou bien les notations peuvent être rassemblées et reportées sur un tableau-papier. Une discussion peut s'ensuivre.

Voici l'échelle:

1. *Confiance*

5	4	3	2	1	0
Grande					Faible

2a. *Conscience du but: chez moi*

5	4	3	2	1	0
Forte					Faible

2b. *Conscience du but: dans l'ensemble du groupe*

5	4	3	2	1	0
Forte					Faible

3. *Engagement et respect envers les autres membres du groupe*

5	4	3	2	1	0
Grands					Faibles

4. *Stratégie générale*

5	4	3	2	1	0
Claire					Vague

5	4	3	2	1	0
Elle me plaît					Elle ne me plaît pas

5	4	3	2	1	0
Fonctionne bien					Ne fonctionne pas bien

5. *Prise des décisions*

5	4	3	2	1	0
Efficace					Inefficace

5	4	3	2	1	0
Ai le sentiment d'y participer					N'ai pas le sentiment d'y participer

6. *Niveau des capacités et processus fondamentaux*

5	4	3	2	1	0
Elevé					Bas

8. Dissolution

Il ne faut pas laisser un groupe simplement disparaître petit à petit; il doit finir d'exister de façon bien tranchée. Il se peut qu'au début on ait convenu d'un certain nombre de réunions. Mais si cette question a été laissée ouverte, c'est à vous de sentir quand la plupart des membres en ont assez.

C'est très difficile, en particulier parce que vous constaterez probablement que certains veulent continuer et d'autres s'arrêter. Aussi est-il sans doute préférable de fixer d'avance un terme à l'existence du groupe. Après tout, il vous sera toujours possible de recommencer avec ceux qui veulent continuer.

Il est d'usage qu'un des objectifs de la réunion de clôture soit de procéder à une sorte d'examen de ce que les membres ont acquis, comment ils se sont formés et ce qu'en seront vraisemblablement les effets pour eux à l'avenir. Vous pouvez aussi demander à chaque membre d'écrire un «article nécrologique» et de le lire à haute voix.

Il est utile aussi de demander à chacun de bien réfléchir et de voir s'il y a une dernière chose qu'ils tiennent à dire à l'un ou à l'autre des membres; cela peut aider à régler toute «affaire pendante».

9. Prise des décisions

Décider «que faire ensuite» pose toujours un problème dans ces groupes. En votre qualité de formateur, vous pouvez évidemment prendre sur vous de décider de tout, mais cela peut rendre les autres membres dépendants de vous et réduira à peu près certainement l'efficacité du groupe.

Il est préférable de procéder, sous une forme ou une autre, par consensus. Cela prend toujours beaucoup de temps et les intéressés finissent souvent par être déçus et impatients. Mais cela en vaut la peine à long terme.

Pour faciliter ce processus:

o ne présumez pas que le silence vaut consentement;

o vérifiez avec chaque membre s'il est d'accord ou non, bien que cela prenne beaucoup de temps.

QUESTIONNAIRE À UTILISER POUR DÉTERMINER LES BESOINS DE FORMATION

Ce questionnaire compte 31 questions destinées à déterminer les besoins ordinaires de formation d'après un vaste échantillon de gestionnaires. Il concerne les résultats des divers exercices d'autoformation examinés aux chapitres 3 à 8 du présent livre. Il peut être utilisé de différentes manières:

o vous pouvez n'utiliser que la formule *a)* et cocher simplement tel ou tel aspect si vous sentez le besoin de travailler davantage sur cet aspect;

o vous pouvez utiliser la formule *b)* comme suit: dans chaque cas, indiquez la pertinence de cet aspect pour votre travail (mettez «P» dans l'échelle comme suit: 5 – très pertinent; 4 – pertinent; 3 – pas vraiment pertinent; 2 – guère pertinent; 1 – sans pertinence aucune) et la mesure dans laquelle vous vous êtes formé à cet égard (mettez «F» dans l'échelle comme suit: 5 – je me suis entièrement formé à cet égard; 4 – je me suis bien formé à cet égard; 3 – je me suis quelque peu formé à cet égard; 2 – je ne me suis pas beaucoup formé à cet égard; 1 – je ne me suis guère formé à cet égard). Si vous ne savez pas ou si vous ne comprenez pas ce que tel aspect veut dire, laissez en blanc.

	Aspects de la formation	a)	b)
1)	Maîtrise des faits essentiels concernant votre organisation		1 2 3 4 5
2)	Connaissances professionnelles pertinentes		1 2 3 4 5
3)	Sensibilité aux événements, conscience de ce qui se passe		1 2 3 4 5
4)	Prise des décisions		1 2 3 4 5
5)	Sens des rapports sociaux; travailler avec les autres et superviser leur travail		1 2 3 4 5
6)	Résistance émotionnelle; capacité de supporter le stress et les tensions; calme intérieur		1 2 3 4 5
7)	Initiative; capacité d'agir sans attendre des instructions		1 2 3 4 5
8)	Créativité		1 2 3 4 5
9)	Agilité mentale, pensée rapide		1 2 3 4 5

		a)	b)
10)	Capacité d'apprendre, tant d'autrui que de vos propres expériences		1 2 3 4 5
11)	Connaissance de soi; vos points forts et vos points faibles, et comment les autres vous voient		1 2 3 4 5
12)	Courage, détermination, fermeté		1 2 3 4 5
13)	Sentiment intérieur de sécurité		1 2 3 4 5
14)	Sentiment que vous vous acceptez en dépit de vos faiblesses, et que vous êtes heureux de vos points forts		1 2 3 4 5
15)	Capacité de vous souvenir		1 2 3 4 5
16)	Capacité de penser logiquement		1 2 3 4 5
17)	Capacité de faire face à l'incertitude et aux équivoques		1 2 3 4 5
18)	Intuition		1 2 3 4 5
19)	Aptitude à vous exprimer, à expliquer vos idées		1 2 3 4 5
20)	Habileté technique		1 2 3 4 5
21)	Dons mécaniques/aptitudes physiques		1 2 3 4 5
22)	Bonne forme physique		1 2 3 4 5
23)	Attaché à un ensemble cohérent de valeurs et de convictions éthiques		1 2 3 4 5
24)	Attaché à un ensemble de convictions spirituelles importantes pour vous		1 2 3 4 5
25)	Capable de théoriser, d'élaborer des notions abstraites		1 2 3 4 5
26)	Aptitude à mettre les idées en pratique		1 2 3 4 5
27)	Sachant écouter les autres		1 2 3 4 5
28)	Sachant respecter les autres et prendre leurs idées et leurs sentiments en considération		1 2 3 4 5
29)	Capable de vous exposer, de prendre des risques		1 2 3 4 5
30)	Capacité de penser à l'avenir, de planifier		1 2 3 4 5
31)	Capacité de réfléchir, d'examiner ce qui s'est passé		1 2 3 4 5

APERÇU DE BREFS COURS D'INTRODUCTION À L'AUTOFORMATION

Un bon moyen d'aider les gestionnaires à se renseigner sur l'autoformation et les possibilités offertes consiste à organiser une série de cours de brève durée. Dans la présente annexe, nous donnons les grandes lignes d'un cours d'un jour et d'un cours plus long de cinq jours.

Durée approximative (en heures)	Sujet	Observations et parties du présent livre à consulter
Cours d'un jour		
1 3/4	Qu'est-ce que l'autoformation? Résultats et processus	Faites un exercice semblable à celui qui est indiqué à la section 1.2, travaillant à deux. Ensuite, après discussion, résumez d'après le tableau 1, pour les résultats, et la section 1.3 (processus)
3/4	Autoformation et aptitude à la gestion	Causerie et discussion, d'après la section 1.2.
1 1/4	Aperçu des méthodes permettant de porter un jugement sur soi	Causerie et discussion, d'après le chapitre 2. Faites ensuite l'expérience d'une des méthodes indiquées dans les annexes (travaillant probablement à deux).
1 1/2	Stratégies et méthodes d'autoformation	Causerie et discussion, d'après la section 1.3. Puis résumé des méthodes (chap. 3), suivi d'un bref essai d'une ou de deux des méthodes figurant aux chapitres 4 à 8 (le temps manquera pour suivre la méthode jusqu'au bout mais cela vous en donnera une idée). Choisissez librement la méthode et travaillez à deux ou en petits groupes.
1	Et maintenant?	Résumé, et discussion de ce que chaque participant peut en retirer quant à sa ligne de conduite.

Durée approximative (en heures)	Sujet	Observations et parties du présent livre à consulter
Cours de cinq jours		
1	Introduction	Diverses méthodes - voir la section sur les *groupes d'autoformation.*
	Qu'est-ce que l'autoformation?	
2	Résultats: formation de soi-même	Faites un exercice semblable à celui qui est indiqué à la section 1.2 (travail à deux).
3/4	Pensées, senti- ments éprouvés et intentions	Section 1.2. Causerie et discussion.
1 1/2	Autoformation et aptitude à la gestion.	Section 1.2. Causerie et discussion.
	Qu'est-ce que l'autoformation?	
1	Les processus: formation par soi-même	Section 1.3. Discussion inspirée de l'exercice précédent.
1 1/2	Aptitudes et qualités requises	Section 1.3. Causerie et discussion.
3/4	Pourquoi l'auto- formation est nécessaire? Quelques méthodes pour se juger soi-même?	Discussion fondée sur la section 1.4.
1 1/2	Donnez un aperçu général, puis laissez les participants choisir entre:	Chapitre 2. Causerie et discussion.
1 1/2	– l'analyse des personnes	
1 1/2	– l'analyse des incidents critiques	D'après les annexes.
3	– le question- naire sur les qualités d'un gestionnaire efficace	Travail à deux.
6	– le question- naire concernant la personne formée	
Variable	Travailler à l'autoformation. Utiliser certaines	Activités menées seul ou à deux.

Durée approximative (en heures)	Sujet	Observations et parties du présent livre à consulter
	des activités indiquées dans ce livre	
2 1/2	Et maintenant?	Discussion sur ce qu'il y a lieu de faire en conséquence du cours.